バスがやってくる。またバスがやってくる。

行き先がわかるバスもあれば、わからないバスもある。

毎日たくさんのバスが目の前を通り過ぎていくけど、乗りたいバスがわからない。


ある日、一台のバスの中で古い友人が手を振っていた。

ねえ、乗らない？　きっと楽しいよ。


その言葉につられて飛び乗ると、ひとりの男性が、背筋をピンと伸ばして座席に座っていた。ほっそりしていて、目を細く開け、白い杖を持ったひとだった。

バスは行き先も告げないままに出発し、車窓に風景が流れ始めた。それは見慣れているようで、見たことのない風景だった。

驚いた。この場所にこんなものが見えただろうか。

バスには席がいっぱいあったから、友人たちも誘った。

おおい、乗っていかない？　楽しいよ。

いいねえ、と友人たちは答えて、バスに乗り込んできた。ゆっくりと流れていく風景を見ながら、

JN063815

話をした。それは、ピカソや観音さま、インスタントラーメンやツインタワーについての話であり、恋や愛や別れ、答えのない問いをめぐる長い会話であり、白い杖を持ったひとの人生の話であり、視覚の謎や時間の概念、忘れがたい夢の話でもあった。わたしたちには、見たいもの、話したいことがたくさんあった。

やがてバスの旅は突如として不毛の荒野みたいなところに突入し、崖の前で立ち往生した。どうしよう……そろそろ降りたほうがいいのかなと戸惑っていると、バスは進路を変え、また軽やかに走り始めた。

わたしたちを乗せ、走り続ける。

出発の日のことを思い出すと、あのときあれこれ考えずに飛び乗ってよかったなと思う。

*

目が見えないにもかかわらず、年に何十回も美術館に通うひとがいる。そんな全盲の美術鑑賞者・白鳥建二《しらとりけんじ》さんのことを知ったきっかけは、友人が発したこんなひとことだった。

「ねえ、白鳥さんと作品を見るとほんとに楽しいよ！　今度一緒に行こうよ」

一〇歳年下のマイティ、こと佐藤麻衣子とは二〇年来の友人で、毎年一緒に『ＮＨＫ紅白歌合戦』を見ているので、もはや家族なのかもしれない。キューティクルがつやつやしたおかっぱヘアに、好奇心に満ちた瞳。食べることが好きなわりに小柄で、いつも柔らかそうな素材のワンピースを身につけている。美術への偏愛ぶりはなかなかで、地元でも離島でも外国でも美術館やギャラリーをハシゴする。

目が見えないひとが美術作品を「見る」だって？　意味はよくわからなかったが、マイティに「楽しい」と言われたら、一緒にエレベーターに閉じ込められにいこうよ、くらい意味不明な誘いじゃない限り、ノーと言う選択肢はなかった。

うん、行く行く。なんの展示を見るの？

彼女はすぐさまいくつかの展覧会の名前をあげた。時間だけはたっぷりあったわたしは、なんでもいいよと答え、マイティは、じゃあ白鳥さんと相談して連絡するね、と言った。

バスの最初の停留所は、東京の丸の内にある三菱一号館美術館だった。

目　次

第1章 そこに美術館があったから

ピエール・ボナール《犬を抱く女》《棕櫚の木》、パブロ・ピカソ《闘牛》

東京メトロ大手町駅から美術館に向かう正しい出口を探した。駅からは「地下バリアフリールート」なるものがあるようだったが、見つけることができないまま地上への階段を駆け上がった。東京の地下鉄って、迷路みたいだ。

待ち合わせに遅れていたので、小走りで向かう。二月なのにポカポカとした陽気で、ダウンジャケットを脱ぎたくなった。

目が見えないひとが美術作品を「見る」って、どういうことなんだろう。

ようやく想像をめぐらせ始めたのは、地下鉄に乗っているときだった。

触ってみる？　それとも体験型の作品？　……オーラを感じるとか？　はたまた超能力の領域？

……そんなわけないか。

ええと、そもそも今日の展覧会はなんだっけ、とスマホを操作してマイティからのメールを確認した。

「フィリップス・コレクション展」

ということは、印象派とかの名画が中心だから、触れられるわけがないよね。

「フィリップス・コレクション」という文字列を改めて見た瞬間、頭の中には赤煉瓦造りの邸宅風の建物が浮かんだ。それはアメリカにある本家本元のフィリップス・コレクション（美術館）の建物で、その確かなイメージが浮かぶとチクッとするような胸の疼《うず》きを覚えた。

懐かしいなあ。

いや、そんなことよりまずは美術館にたどり着くことが先決だ。急がないと！

息を切らせて三菱一号館美術館に着くと、これまた赤煉瓦造りの瀟洒《しょうしゃ》な建物の入り口にばーんと目立つ巨大ポスターが貼られていて、「全員巨匠！」というやや身も蓋もないキャッチコピーが派手に躍っていた。チケットを買ってマイティたちのあとを追いかけた。

ええと、ふたりはどこにいるんだろう。展示室は思ったよりずっと狭く、平日の昼間だというのにかなりの人出だ。さすが「全員巨匠！」である。

超能力じゃなかった

フィリップス・コレクションとは、アメリカ人の富豪、ダンカン・フィリップス（一八八六～一九六六）が作りあげた私設美術館で、ワシントンD.C.の落ち着いたエリアにある。印象派やキュビズムを中心とした華やかな一大コレクションは、アメリカで最も重要な美術コレクションのひとつとも言われる。

遡ること二〇年前、二六歳のわたしはワシントンD.C.にある国際協力を専門とするコンサルティング会社で働いていた。コンサルティングというとかっこよさげな響きだが、実態は半地下の座《ざ》敷牢《しきろう》みたいなオフィスで、従業員は長い間社長と新卒のわたしだけだった。おかげで会計や書類整理、訴訟《そしょう》対応、トイレ掃除まで、大量の雑務をひとりでこなさねばならず、よく机の下にもぐって泣いていた。机の下、というのは比喩《ひゆ》なんかではない。本当にもぐっていた。廊下の向こうの部屋にいる社長に泣いているのを知られないためだ。社長は、根は良いひとだったけれど、ちょっと気が短く、なにかに怒ると机や壁に手帳を投げつけるという悪癖があった。仕事のストレスや海外生活のロンリーさが耐えがたい領域に達すると、たまたま会社の近くにあった赤煉瓦造りの美術館に逃げ込んだ。

一歩中に入れば、そこは外の街とは別世界だった。貴族の館のような贅沢《ぜいたく》な空間に数々の名画。作品は、遠い世界に向かって開かれた窓のようで、いつだって「ここ」ではないどこかに連れていってくれた。自分が生まれるよりはるか前に、遠い場所で描かれた絵の前にじっと立つ。そうして深く息を吸っているだけで、混乱は収まり、また歩いて会社に戻った。フィリップス・コレクションのことはルームメイトにも恋人にも話さなかった。そこはわたしの聖域だった。

とはいえ、あれから何度か異なる国に引っ越し、転職し、結婚して子どもを産み、家族や友人を見送り……、とそれなりにビッグなライフイベントを経た四六歳のいまとなっては、どんな作品があったのかはほとんど記憶にない。

覚えているのは、そこに美術館があったことだ。

誰かのために。わたしのために。

「あー、あっちゃん！（わたしのこと）こっちだよ」

人混みの中で、マイティがニコニコと手招きをしていた。展示室はひとが多いわりにとても静かで、足音や衣擦《きぬず》れくらいしか聞こえない。小柄なマイティの傍らには、ほっそりとして背の高い男性が姿勢よく立っていた。ひとの流れとどこか無関係に立つその姿は、小川の中から頭を出す岩のように見えた。淡いピンクのシャツを身につけ、ボタンを一番上まできっちりと留めている。首が苦しくないのかな？　と思ったけど、口には出さなかった。細く開いた目の奥にかすかに瞳が見えたものの、こちらのほうは見ていない。それが白鳥建二さんだった。

「せっかくだから、あっちゃんがアテンドしてあげて」

マイティにそう言われ、あたふたしながら白鳥さんの横に立った。すると彼は「じゃあ、お願いします」と言い、わたしのセーターの肘部分にそっと手を添え、半歩後ろに立った。こうすることで、白杖がなくても正しい方角に歩いていけるらしい。内心、ちょっとドキドキした。全盲のひとをアテンドするのは初めてだったし、自分の周りには視覚障害者はほとんどいなかった。

「今日の展覧会だけど、作品が七〇点以上もあるから、全部はムリだよね。それぞれ好きなもの選んで見ていこう」

マイティは小声で囁《ささや》いた。説明はこれだけだった。

えーと、あのさ、見るって言ってもさ、超能力とかじゃないんだよね……。

「ねえ、どの作品にする？　あっちゃんが選んでいいよ」とマイティがたたみかけてくる。

「えっと、じゃあ、あれにしよう」

あわてて適当に選んだのは、ピエール・ボナール（一八六七〜一九四七）の《犬を抱く女》（一九二二年）。わたしたちは、ほかのひとたちの邪魔にならないようにと、岸辺の小石のようにぴったりと寄り添い、絵の前に立った。

犬を抱く女はノミを探す

それはタイトル通り、犬を抱いた女の絵だった。作者のボナールは「色彩の魔術師」という異名を持つフランス人画家である。とはいえ、わたし自身は名前を聞いたことがある程度で、過去にボナールの作品を見た記憶はなかった。

「じゃあ、なにが見えるか教えてください」

あさっての方向を向いたままの白鳥さんが小声で囁く。マイティが「絵があるのはこっちだよ」と白鳥さんの体に手を添え、絵に向かってまっすぐ立たせた。

この瞬間、稲妻のように理解した。そうか彼は「耳」で見るのだ。

ええと、絵の中になにが見えるかですね……、承知しました！

わたしは、文字通り目に入ったものを描写し始めた。

「ひとりの女性が犬を抱いて座っているんだけど、犬の後頭部をやたらと見ています。犬にシラミがいるかどうか見ているのかな」

マイティと白鳥さんは「えー、シラミ？」と小さな笑い声をあげた（実際には動物にたかるのはノミだが、このときは勘違いしていた)。

え？　どうして？　ウケを狙ったわけじゃないんだけど。その女性の様子は、うちの母が猫のノミをチェックしている姿にそっくりだった。

マイティは首を傾《かし》げながら言った。

「わたしには、この女性はなにも見てないように見えるな。視点が定まってない感じ。だってテーブルの上に食べ物があるでしょう。食べている途中に考えごとを始めちゃって、食事が手につかないんじゃないかな」

ピエール・ボナール《犬を抱く女》(1922年)
69.2 × 39.0㎝

なるほど、言われてみれば、女性は悲しげに俯《うつむ》いているようにも見えた。

「テーブルの上に載っているのはなんだろう」とマイティが聞き、「チーズとパンじゃないかな」とわたしは答えた。

このとき、白鳥さんがようやく口を開いた。

「絵はどんな形をしてるの？」

「えーと、縦長です。長方形

よりもっと縦長なんです」
わたしは先生に指名された優等生のようにしっかりと答えた。おいおい、「長方形より縦長」って結局は長方形じゃん、といまこの文章を書いている自分がツッコミを入れたくなるアホさだが、白鳥さんは「なるほど」と頷《うなず》いた。

展覧会の図録によれば、この《犬を抱く女》は、ダンカン・フィリップスが一目惚《ぼ》れして購入した作品で、当時の購入価格は三〇〇〇ドル。これを皮切りにアメリカ最大のピエール・ボナールコレクションを築くことになるという記念碑的な作品だ。
わたしたちは目と言葉を使って作品の輪郭《りんかく》をなぞり続けた。

有緒　セーターの色がすごくきれいだね。赤っていうよりも朱色に近い。
マイティ　壁の色が薄い青で、セーターの赤との補色になってコントラストがきれいだね。絵には描かれていないけど右側に窓があるのかも。ほら、壁が少し黄色がかっていて、ほんのり光が当たってる気がしない？
有緒　ああ、そう言われればそうかも。窓は見えないけれど、女性はきっと窓辺にいるんだね。

色や光の描写がどれくらい白鳥さんに伝わっているのかはわからない。そもそも、こんな光とか色の話ばかりをしていてもいいのだろうかと、わたしは心配になった。

あとから聞いたところによると、白鳥さんは生まれつき極度の弱視で、色を見た記憶はほとんどなく、「色は概念的《がいねんてき》に理解している」という。

はて、色が「概念」とは、いったいどういうことだろうか。

「一般的には『色』って視覚の話だと思われるんだけど、白とか茶とか青とか、色に名前があるという時点で概念的でもあるんです。それぞれの色には特定のイメージがあって、それを（視覚としてではなくその特徴的なイメージで）理解している」（白鳥さん）

それは、わたしの電磁波とか微生物への理解に近いのかもしれない。そこらにうじゃうじゃある、ということまで理解できるけれど、実際に目で見ることはできないので、あくまでも概念上の存在だ。なにはともあれ、白鳥さんの中では、「夕日やリンゴの色は赤」というような理解はあるようだった。

わたしたちは一〇分ほどかけて《犬を抱く女》を鑑賞した。その間に、何十人ものひとたちが通り過ぎたが、わたしたちほどじっくり絵を見ているひとはいなかった。見れば見るほど絵の印象は変化し、悲しげに食事をしているように見えた女性は、やがてゆったりと午後のティータイムを楽しんでいるようにも見えてきた。

「じゃあ、そろそろ次の絵に進もうか」

そうマイティに声をかけられたとき、ほっとした。

ステージ1、クリアしたかな？

まずは一枚の絵を白鳥さんに見せてあげられた、そう思った。
いま思えば、ものすごい勘違いだった。

ボヤけた女の顔が怖い

次もまたわたしがボナールの絵を選んだ。タイトルは、《棕櫚《しゅろ》の木》（一九二六年）。大きなキャンバスいっぱいに、赤や黄、水色などの複雑な色が入り混じり、全体的には華やかな空気が漂っている。はっきりとはわからないが、描かれているのは陽光溢《あふ》れる集落の風景だろう。集落の奥に見える青い部分は海だろうか。

あれやこれやとひと通りの描写を終えると、わたしは「この村はきっと南フランスだね」と断言した。

「えー、そうかな？　ヤシの木の葉っぱがあるから、もっと暖かいところじゃないの？」

マイティは首をひねる。うん、簡単にはひとに流されないのが、キミのよいところだよね。

「いや、たぶん南フランスだと思うんだよね。キラキラした光の感じがそんな気がして。とても気持ちがいい絵だね。いいなあ、この村に行ってみたい」

わたしは三〇代のころ、パリのユネスコ本部に勤め、五年半にわたりパリに住んでいた。その間に南フランスの小さな村を何度となく訪れた。輝くような強い太陽、丘にはりつくような石造りの家。色とりどりの野菜にハーブが香る食事。年がら年じゅうグレーな雲が立ち込めるパリから行く

ピエール・ボナール《棕櫚の木》(1926年) 114.3 × 147.0㎝

と、色彩溢れる南フランスはこの世の楽園のごとく見えた。まるでこの絵のように――。

しかしマイティは「えー、気持ちいいかなあ？　わたしにはなんかこの絵は気持ちが悪いな」と首を傾げた。

え、気持ち悪い？　どうして、こんなに明るい色使いなのに？

「女性の表情がぼんやりと曖昧《あいまい》に描かれているでしょ、なんか亡霊みたいで怖い。バックの風景と女性が繋《つな》がっていないようで違和感がある」

んんと、女性がなんだって？

わたしはそう言われるまで、人物にはまるで注意を払っていなかった。そのひとは、なるほど、顔がぼやーっと曖昧に描かれており、表情がわからないからか、亡霊と言われれば確かに亡霊っぽかった。

「そうか、マイティって極度の心霊恐怖症だもんねー」とわたしはからかいながらも不思議に思った。わたしたちはまるで違う絵を見ているかのようだった。

同じ絵を見ているのに、なぜここまで印象が異なるのか、ちょっとここで考察してみたい。

それは、どうも「見る」ことの科学と関係があるようだ。視覚とは「目」や視力の問題だと考えられがちだが、実際は脳の問題だということである。

その昔、「ものを見る」という行為は、現代のスマホで写真を撮る行為と同じくらいシンプルなことだと考えられていた。そこにある物体を視界に入れれば万事ＯＫ！　はーい、パシャ！　というわけ。しかし近代科学の発展とともに、徐々に「見ること」の複雑さが明らかになってきた。ものを見るうえで不可欠な役割を果たすのは事前にストックされた知識や経験、つまり脳内の情報である。わたしたちは、景色でもアートでもひとの顔でも、すべてを自身の経験や思い出をベースにして解析し、理解する。

ここで、さきほどの《棕櫚の木》に戻ろう。南フランスの風景を多く見てきたわたしは、直感的にその風景に目がいき、麗しき思い出が脳内から引き出され、すぐに絵と関連づけた。一方のマイティは、南フランスに対する思い入れがゼロなため、自動的に手前の人物に注目した。「ひとの顔」というのは非常にパワフルな存在で、わたしたちはひとの顔が視界に入れば、即座にそこに注目するようになっている。

そうして、マイティはすっと「顔」に注目したわけだが、そのぼわっとした描きぶりと、日ごろから自身が恐れる亡霊とを関連づけ、直感的に気味が悪いと感じた。

このようにわたしたちは、過去の経験や記憶といったデータベースを巧みに利用しながら、目の前の視覚情報を脳内で取捨選択し、補正し、理解している。さらに言うと、その過去の記憶情報を元に、対象物をポジティブにもネガティブにもジャッジする。過去のモラハラ気味の同僚と似た風貌のひとを見かけただけで、そこはかとなくいやーな気持ちが湧き上がるのはそのせいだ。

ちなみに、この絵の女性の顔がぼやっと描かれているのは、亡霊を描いたわけでもなければ、未完成というわけでもなく、ボナールなりの意図があるらしい。ボナールは、自分の視覚が捉えた通りに絵を描こう（「視神経の冒険」と彼は呼んだ）と努力をし、絵の奥の風景にピントを合わせるために、手前の女性を故意にぼやけさせた。わたしたちの視界で、ピントが合った部分以外はぼやけて見えるのと同じだ。「視神経の冒険」は、大変に意欲的な試みだったにもかかわらず、当時はあまり評価されなかったそうである。

パブロ・ピカソは、ぼんやりと、色もまばらなボナールの絵を「不決断の寄せ集め」と強烈に批判し、多くの美術批評家たちもそろってボナールの作品を無視した。

（MASANOBU MATSUMOTO「画家ピエール・ボナールが挑んだ『視神経の冒険』としての絵画」『The New York Times Style Magazine: Japan』OCTOBER 26, 2018）

ピカソをめぐる混乱、ゴッホをめぐる困難

いよいよ人混みがひどくなり、冬だというのに展示室は暑いほどだった。それでもわたしたちはゴッホにピカソ、セザンヌなど、多数の作品を見ていった。ダンカン・フィリップスときたら、よくもまあ、こんなにたくさんのワールドチャンピオン級の名画を集めたもんだ、確かに全員巨匠だわ、と感心しきりだ。

これを集めたフィリップスという人物は、端的にいえば大富豪のボンボンで、絵画収集を始めたのは大学生のころときている。ただ、その審美眼《しんびがん》はすごかったのだろう。パリに旅行に行った際に見かけたルノワールやモネ、ドガなどの作品に感激し、絵画収集を始めた。その後、彼の父や兄が亡くなり多額の遺産が転がり込んでくると、さらに熱心に作品を買い集め、いまわたしたちが見ている一大コレクションができあがった。

「いやあ、まだまだ先が長いよ。どうする次の展示室に進む?」

「うん、そうしよう」

白鳥さんは、多くを求めない。発する言葉も決して多くない。ただ新しい展示室に入るたびに、「どんな部屋ですか? 何枚くらい作品があるの?」と聞く。そのあとは、うん、うん、と流れに任せて相槌《あいづち》を打ち、たまに質問をするくらいだ。

こうして一〇分も一五分もかけて一枚の絵画を見ていると、途中から印象がガラリと変化したり、

最初はまったく目に入らなかったディテールに驚かされたりして、なんだか自分の目の解像度が上がったような感覚になった。

わたしは見知らぬ場所にいるような気がした。いや、もちろんこの美術館には来たことがなかったからそれは当たり前のことだ。そうではなく、美術館という場所が、これまで味わったことのない種類の喜び、いやそれよりも深いなにかを与えてくれたような気がした。それまで絵というものはひとりで見て、感じるものだと思い込んでいたけれど、言葉にすることで、自分の思考の扉がほんの少し開いたような――。これは、すごいぞ。

途中で、アメリカのフィリップス・コレクションの建物写真があるコーナーがあり、わたしはアメリカに住んでいたときの思い出も色々と話した。すると白鳥さんは、作品についての説明以上に熱心に聞いていて「いやあ、正しい作品解説とかよりも、見ているひとが受けた印象とか、思い出とかを知りたいんですよ」などと言うではないか。

すっかり気分をよくしたわたしは、記憶の箱から飛び出してきた雑多な思い出をそのままペラペラと話した。ワシントンのオフィスの辛気臭さやパリのアパルトマンの床のヘリンボーン柄など瑣《さ》末《まつ》なことばかりなのだが、ふたりは喜んで聞いてくれた（たぶんだけど）。口には出さなかったけど、別れた恋人の家の柔らかすぎるマットレスの感触や、彼に投げつけた罵《のの》り言葉までごちゃ混ぜに思い出した。アメリカとフランスに深い縁を持つフィリップス・コレクションは、わたしにとって封印された思い出の箱を開ける鍵そのものだった。

調子に乗ってしゃべりすぎたせいか、途中で中年の女性に、「あなたたち、さっきからうるさいのよ！」と語気強く注意され、面食らった。なんだよ、美術館はあなたの占有物じゃないんですよ、と言い返したかったが、マイティが代わりに「スミマセン」と応え、ヒソヒソ声で話を続けた。

そうしているうちに、ハタと気づいた。

振り返ってみると、わたしとマイティは、この二〇年間でたくさんのアート作品を一緒に見てきたはずだ。しかし、いままでは「面白かったね」「そうだね」くらいの会話しかしてこなかった。

じゃあ、それまでとの違いはなんなのか――。

そう問われれば、違いは白鳥さんの存在しかなかった。目が見えないひとが傍《そば》にいることで、わたしたちの目の解像度が上がり、たくさんの話をしていた。しかも、ごく自然にそうなる感じがあった。電話の受話器を耳に当てると「もしもし」と言いたくなるのと似て、そのときの状況がそう行動させる。だから、本当の意味で絵を見せてもらっているのは、実はわたしたちのほうなのかもしれなかった。

もしかして、これがマイティの「白鳥さんと見ると楽しいよ」の正体だろうか。うん、マイティの言う通りだ。これは確かに新しいかもしれない。

でも、肝心の白鳥さんは楽しんでくれているのだろうか――。

テンポよく鑑賞を続けていたが、パブロ・ピカソ（一八八一～一九七三）の《闘牛》（一九三四年）はちょっとしたカオスだった。わたしたちの描写は見えない的に向かって、あてずっぽうに球を投げるようなものである。

パブロ・ピカソ《闘牛》(1934年) 49.8 × 65.4㎝

有緒　うーん、馬だね。馬が下を向いているんだよ。

マイティ　え、どの馬のこと？　馬は二頭いるよね？

有緒　そうだよね、白いのと茶色いの。じゃあ、こっちの右側が闘牛士かな

マイティ　そう、きっとひとだよね、なんか闘牛士の上にテントみたいのがあるんだけど。

有緒　これ、テントじゃなくて布じゃない？

マイティ　ああ、そうか。これで闘牛してるんだね。でも、闘牛って普通、牛は一頭だよね？

有緒　そうだったかな。

マイティ　スペインで闘牛見なかったの？

有緒　見てない。でもメキシコでは見た気がする。あー、でも全然覚えてない。

話をすればするほどカオスは深まる一方だ。

確か、ピカソはいろんな角度から見た対象物をひとつに描いていった……みたいな話だったような気がしたが、誰かに堂々と語れるほどの見識も自信もなかった。

ひどい説明ですみませんね、トホホ……と白鳥さんのほうを見ると、「面白いねー」とこれまで以上に喜んでいる様子だ。え、どういうこと？

「ふたりが混乱している様子が面白い」

どうやら彼は、作品に関する正しい知識やオフィシャルな解説は求めておらず、「目の前にあるもの」という限られた情報の中で行われる筋書きのない会話こそに興味があるようだった。逆に、作品の背景に精通しているひとが披露する解説は、「一直線に正解にたどり着いてしまってつまらない」と言う。ひとつの作品でもその解釈や見方にはいろんなものがあり、その余白こそがいいらしい。

「前に岡本太郎記念館に行ったときに、岡本太郎が作ったというお寺の鐘があったんだけど、鐘にボツボツした棘《とげ》がいっぱいあるわけ。よく見るとその棘はひとの形をした模様から飛び出ていて、人間の足や手を表しているんだよ。それで、そのときアテンドしてくれた美術館のひとが、この作品は実はこの辺（棘の根本部分）にひとが隠れているんですよね、って隠しネタをすぐバラしちゃって。そうなると聞いているほうは、ああ、そうですかとしか思えないでしょ。俺にとっては、みんなで見る、話すというプロセスの中で意味を探ったり、発見していくのが面白い」

——あ、そうか。彼は「わかること」ではなく、「わからないこと」を楽しんでいるのか。

そう気がつくと、じゃあ、わたしはあんまり美術に詳しくないんでバッチリですね、とおかしな自信すら持った。


どうやら白鳥さんとの美術鑑賞には、適度に無知であることが不可欠のようだった。その点でいうと、フィンセント・ファン・ゴッホ（一八五三〜九〇）の作品は難しかった。

わたしは若いころからゴッホという人物にそれなりに興味があった。何十万人というひとに紛れてゴッホ展に足を運び、図録を買い求め、本を読み、彼の孤独と狂気に彩られた人生を想像した。フランスに住んでいる間には、ゴッホが暮らした村を訪ね、弟のテオとともに埋葬《まいそう》されている墓地もめぐった。おかげで、わたしの中には一定のゴッホのイメージができあがっていて、どうやっても彼の人生と作品を一緒くたにして見てしまう。要するに先入観ができあがっているのだ。作品の背景を知ることはアートを鑑賞するうえで決して悪いことばかりではないが、改めてフレッシュな感覚で作品を見ようと思ってもどうにも難しい。

もしわたしがゴッホについて知識ゼロだったら、果たして彼の絵に本当に感動するだろうか。ぐにゃぐにゃして気持ち悪いと感じるかもしれないし、ダイナミックな筆さばきに、うおお！　と驚嘆するかもしれない。そう、いまや知りすぎた自分には、答えはわからない。

そう考えると、適度に無知であることはいいことである。バイアスなく、ただ無心に作品と向き合える。まるでガイドブックを持たないひとり旅みたいに。

コートヤードの光

階段や段差が現れるたびに「ここから階段ですよ」「段差があります」と白鳥さんに声をかけた。不器用なわたしがアテンドしている間に、彼が階段から転げ落ちてしまったらどうしよう、という不安がずっと振り払えないでいた。視覚障害者が駅のホームから転落したというニュースが何度もフラッシュバックした。しかし、こうして一緒に歩いている限りはそういう可能性は極めて少ないようだった。彼自身はわたしの肘の動きで段差を感知し、声をかけられなくてもスムーズに段差を上り下りできる。「だから、大丈夫なんですよ」と白鳥さんはわたしを安心させるように言った。

まるでお互いの体がお互いの補助装置みたいだと思った。わたしは作品について話しながら、安全に歩かせるための装置。白鳥さんはわたしの目の解像度を上げ、作品との関係を深めてくれる装置。そういう風に、お互いの体の機能を拡張し合いながら繋がれるということも、今日の面白い発見だった。

美術館の廊下の一角には巨大なガラス窓があり、そこから見下ろしたコートヤードはちょっとだけヨーロッパの街角みたいで美しかった。その瞬間、わたしは以前にもこのコートヤードに来たことがあることに気がついた。

あれは約五年前、新田次郎文学賞の授賞式のあと、どこかでお茶でも飲もうと歩いているうちに偶然にこの場所を通りかかった。初夏を感じさせる涼しい風が吹く夜で、妊娠五カ月だったわたしは膨らみかけたお腹を労《いた》わりながらとりあえずベンチに腰をおろした。実は、その一〇日ほど前に受けた定期検診で、生まれて来る子に障害がある可能性が指摘されていた。だからわたしはあの日、受賞という華々しさに彩られた喜びと、数カ月後に訪れる子育てに対する不安をいっぺんに抱えながらベンチに腰をおろした。しばらく座っていると携帯電話が鳴り、担当編集者のOさんに、「受賞の記念品一式をすべて会場に忘れていますす」と知らされ、自分のまぬけさに大笑いし、不安な気持ちが少しだけ和らいだ。

こうして同じコートヤードを見下ろしていると、冬の光の中に、様々な彩りの感情を抱え込んだ五年前の自分の姿が透けてみえた。

——きれいだなあ。

わたしが声に出すと、ん？　なにがきれいなんですか？　と白鳥さんはキョトンとした。

「美術館の前の中庭に日が当たっていていい感じなんです」

「へえ、今日はそんなに天気がいいんだ」

「そう、今日はとてもいいお天気です」

改めて、彼は光のない世界にいるんだなと思った。それがどんな世界かは、わたしには想像がつかない。

Life goes on.

直訳すれば「人生は続く」なんだけど、アメリカではよく悲しいことがあったときに「それでも生きていかなくちゃ」的なニュアンスで使われる。でも、今日は別に悲しいことがあったわけじゃない。ただのLife goes on。たぶん、美術館に集められた作品とその思い出によって、自分の過去と現在が想定外の回路でコネクトしてしまったらしい。そして繋がったのは自分の過去や現在だけではなかった。白鳥さんやマイティ、さらには偶然にそこに居合わせた人々までが、美術館というものを触媒にして重なり合うような感覚があった。

この日、この場所で、たくさんの開かれた窓の前を通り過ぎたひとたち。

もう二度と会わない人々が作る小川の中にわたしたちは立っていた。

また、いろんな作品を見にいきましょう。

そう約束して、わたしたちは別れた。

——芸術とは普遍的な言語である（ダンカン・フィリップス）

参考文献
安井裕雄（三菱一号館美術館）編『フィリップス・コレクション展　A MODERN　VISION』三菱一号館美術館
MASANOBU MATSUMOTO「画家ピエール・ボナールが挑んだ『視神経の冒険』としての絵画」『The New York Time Style Magazine: Japan』OCTOBER 26, 2018

第2章

マッサージ屋とレオナルド・ダ・ヴィンチの意外な共通点

レオナルド・ダ・ヴィンチ《人体解剖図》

次に白鳥さんに会ったのは、二〇一九年三月、早い春の薫りが漂《ただよ》う日で、場所は水戸芸術館現代美術ギャラリー（以下、水戸芸術館）だった。今回は一緒に作品を見るためではなかった。「うち（水戸芸術館）で白鳥さんがマッサージ屋を開いてるからおいでよ」とマイティに誘われたのだ。

美術館とマッサージ。それは『ねじまき鳥クロニクル』とか『おしりたんてい』くらい意味不明で魅力的な組み合わせだった。

マッサージは、美術館としてのサービスの一環なのだろうか。ほら、ウェルカムドリンクとかファン感謝デーとかそういうの。もしくは、白鳥さんのパフォーマンス作品なのかも。最近はなんでもかんでも「アート作品」になっちゃって、牛のホルマリン漬けや大富豪の不動産売買の記録を作品にするひともいるくらいだし。

どちらにせよ、わたしはちょうど首の筋の痛みに苦しんでいた。近所のベンガルカレー屋の親父には、「首が痛いときにはマトンカレーだよ。ほら、羊って強いでしょ」と言われ、とても素直にマトンカレーを食べたが、なんら効果を感じなかった。わたしは本物のマッサージを必要としていた。

特急ひたちで品川から水戸までは約九〇分、駅から水戸芸術館までは徒歩二五分ほどだ。定規を当てたようにまっすぐ延びる大通りを進むと、角ばったフォルムの特徴的な塔が見えてきた。水戸芸術館に来たのはもう七回目くらいになるのに、まだ塔の展望台には登ったことがない。

中に入ると「アートセンターをひらく　第I期」というプログラムが開催中で、入場は無料だった。美術館のオープンスタジオ的な期間で、アーティストの制作を見学できたり、自由に工作できるエリアがあったり。白鳥さんのマッサージ屋もこのプログラムの一環のようだ。うん、やっぱりファン感謝デーなのかもしれない。

「あっちゃーん、よく来たね！　あっちの奥のほうでマッサージ屋さんやってるよー」

マイティは、黒いリネンのワンピース姿で出迎えてくれた。彼女はこの美術館の教育プログラムコーディネーターとして働き、「アートセンターをひらく　第I期」の企画運営に携わっていた。

美術館の奥に進むと、そこは……

わたしが初めて「現代美術」に触れたのがこの水戸芸術館で、二〇代の終わりのころだった。連れてきてくれたのはやはりマイティである。当時わたしはアメリカのコンサルティング会社を辞め、大手町の企業で蟻のように働いていた。ある日、美大に行っていたわたしの妹のサチコが「この子、すごく面白いんだよー」と紹介してくれたのが、高校生のマイティだった。ふたりはサチコが参加した美術展のボランティア活動を通じて知り合ったという。

確かにマイティは面白い子だった。「高校で友だちができない、学校が合わない」とか言うわりに、やたら社交性があり、大勢の大人にタメ口で意見を言い、それがまったく違和感がない。マイティは、芸術家きどりの変な大人たちが立てた展示企画をてきぱきとよく手伝っていた。美大を卒業したうちの妹なんかよりもよっぽど美術に詳しく、すでに趣味の領域を超えた熱心さで美術館やギャラリーをめぐっていた。そうして自動車免許を取得したばかりのマイティが、お父さんのクルマを借りて連れてきてくれたのが、水戸芸術館だった。ただ誠に残念ながら、あの日どんな展示作品を見たのかは断片的にしか覚えていない。それでも、楽しかった、いい一日だったな、という記憶を頼りに、わたしも少しずつ現代美術を見るようになった。

あれから二〇年が経過し、現在マイティが水戸芸術館で働いていることは、ただの偶然である。マイティは都内の大学を卒業すると、一念発起して公務員試験を受け、国家公務員になった。そして公務員として赴任した先が、水戸だった。仕事が休みの日には、一番近い美術スポットである水戸芸術館にせっせと通い詰め、ボランティアを行い、美術館スタッフやアーティストと親しくなった。そうして何年か過ぎたころに、水戸芸術館教育プログラムの非常勤ポストが空いていることを耳にした。それまでマイティは、「美術は公務員として働きながら見るだけでいい。好きなことは仕事にしないほうがいいと思う」などと悟りでも開いたかのように言い放っていたのだが、実際に「好きな場所で、好きなことを仕事にする」という絶好の機会が目の前に転がっているのを見て、ひどく心がかき乱されたようだ。

ある日、泣き出しそうな顔でどうしたらいいかと相談に来たので、わたしは答えた。

「うん、辞めちゃいなよ。なんとかなるさ。マイティには美術館で働くほうが合ってるよ」

当時のわたしは、大手町の企業はとうに辞め、さらに転職した先のユネスコ本部（パリ）も五年半で退職し、三八歳で日本に戻って以来フリーライターを名乗りながらぶらぶらしていた。だから「なんとかなるさ」は先の見えない自分の人生へのエールでもあった。

そこでマイティは、「美大などは出ていないけれど、わたしにも採用試験を受けさせてください」と担当者に頼み込んだ。それから六年、マイティはいきいきと美術館で働いている。

「いまちょうど空いてると思うから、マッサージ屋さんに行ってきたら？」

マイティに促されたわたしは、広い廊下をひとりで進んだ。マッサージ屋だけではなく、いろんな出店があるのかと思いきや、展示室には静かな空間が広がっているばかりだ。

奥まで進むと、ぽつんと明かりがついた部屋があった。

雑多な備品や荷物が置かれていて、ワークショップなどを行う部屋のようだ。

そこが噂の「マッサージ屋」だった。衝立《ついたて》の向こうに施術《せじゅつ》用ベッドが置かれ、その横に白衣を着た白鳥さんが佇《たたず》んでいた。足元は、医療従事者っぽいつっかけサンダル。背筋をピンと伸ばしてテーブルの前に立ち、両手を前に付き出した格好で、開いた本の白いページを指でなぞっていた。

わたしは何秒かただその姿を眺めていた。

点字で本を読んでいるんだ。そう気がつくのに少し時間を要した。

「あの……こんにちは」と声をかけた。

「いらっしゃい、マッサージ、やりますか？　二〇分で一〇〇〇円です」

そのとき宮沢賢治の『注文の多い料理店』を思い出した。

別府ってどこだ?

「確かに、このあたり凝ってるみたいですね」

白鳥さんは慣れた手つきで肩から背中にかけてほぐしていく。

「あ、そこです、そのあたりが痛いです」

周囲はシーンとしているうえに、リラックスとは無縁な雑然とした空間だった。だからだろう、わたしは白いページを言葉で埋めつくすがごとくペラペラとしゃべり始めた。

「このマッサージ屋さんは、いわゆる白鳥さんの『作品』なんですか?」

「いや、作品とかじゃないですね。特に意味はなくて、ただ、やっていたマッサージ屋の場所が再開発の対象になって、店を閉じることになったので、記念に閉店セールをここでやってるんです」

「なるほど、そういうことですね(ってどういうことなんだ?)。それにしても二〇分で一〇〇〇円って安すぎないですか」

「そうですね。でも閉店セールだから、それでいいんです」

「再開発ということは、今後、マッサージ屋は別のところに移転するんですか」

「いや、たぶんもうマッサージ屋はやらないですね」

理由を聞きたかったけれど、聞くのがちょっとはばかられた。

「そうですか……。(しばし沈黙)ええと、知り合いの鍼灸師《しんきゅうし》で、お客さんの体の一部を触ると、そのひとの中身とか人間性とか、とにかく色々な内面までわかってしまうというひとがいるのですが、白鳥さんもやっぱりそうですか」

「いや、全然わからないですねえ」

「あ、そうですか」

（沈黙）

わかります、という答えをどこかで期待していたわたしは、話の持っていき場を一気に失った。

実はこの質問は整体師とかマッサージ師とかによくするのだが、「なんとなくわかります」と答えるひとが多く、会話のきっかけにしていた。

（沈黙）

ええい、じゃあもう色々聞いてしまえ。

「ええと、盲学校に転校したのは何歳のときですか」

「小学校三年生のときですね」

「それまではほかのみんなと一緒に授業を受けてたんですね。じゃあ、それまでは、ある程度目が見えてたんですか」

「そう。でも実はあんまり（目が）見えてなかったらしくって結局は盲学校に転校しまし

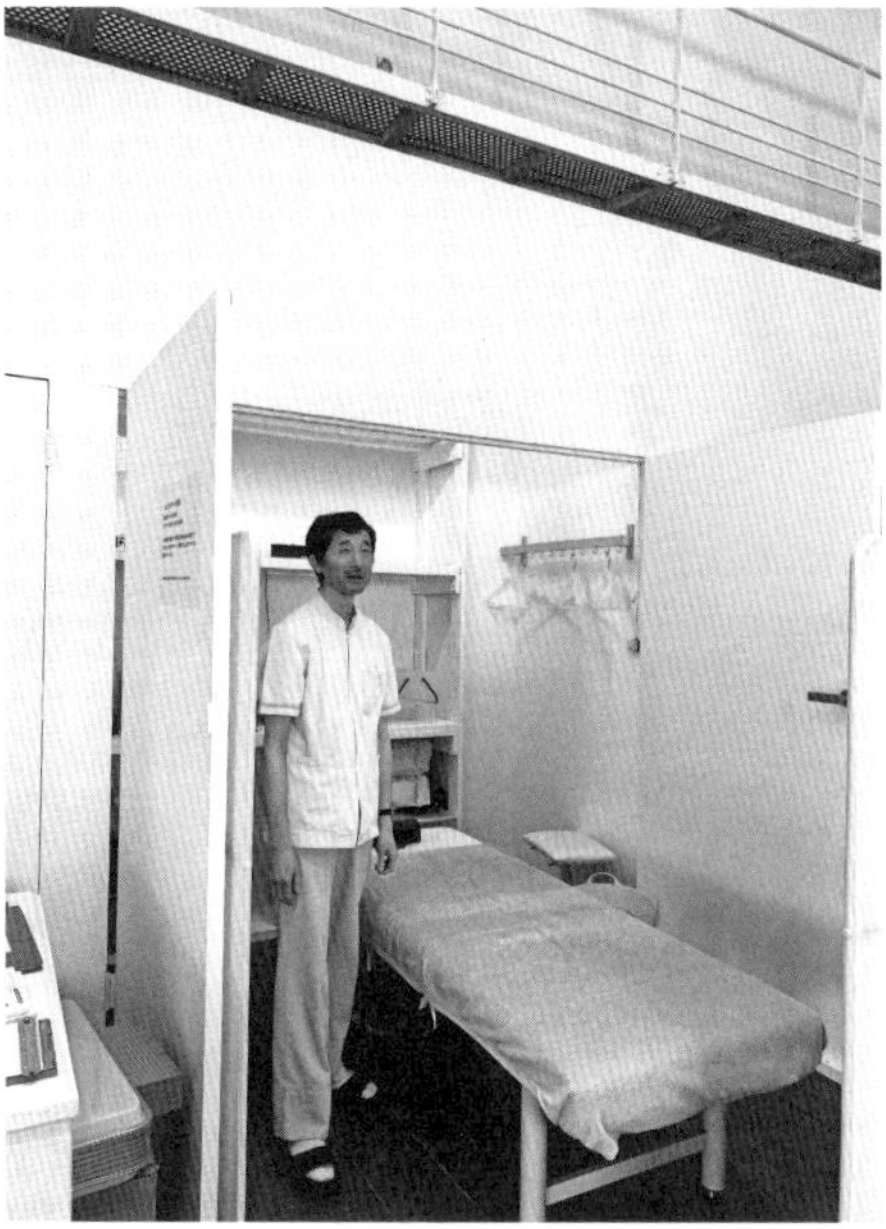

白鳥建二さんのマッサージ屋（水戸芸術館）

た」

「最初の小学校のことは覚えてますか？」

「うん、古い木造の校舎で、なんだか暗かったですね」

こんなこと聞いちゃってよかったのかなと思いつつギクシャクした会話を続けていると、急に白鳥さんが言った。

「そうだ、あれから川内さんの本も読みました。『空をゆく巨人』。思わず二回読んじゃった。面白かった」

「え、すごい」

白鳥さんは普段からパソコンの読み上げ機能を利用して多くの本を読んでいるそうだ。「本」という共通の話題が振られたことで、わたしたちの会話は急に滑《なめ》らかになった。

「たとえば『空をゆく巨人』を読むのに、どれくらいかかるんですか？」

「どうだろう？　一日以上はかかったかなあ」

「一日って。すごく早いですね！　普通はもっとかかりますよ」

「そう？　それよりさ、川内さんの本を読もうと思って調べたら、いくつも点訳《てんやく》（点字に翻訳）されてましたよ」

「ほんと？　点訳？」

「うん、盲人で誰か川内さんの本を好きなひとがいるのかも」

「え、すごい。そうならすごく嬉《うれ》しい」

できればそのひとに会って、ありがとうございますとハグしたいくらいだ。自慢じゃないがわたしの本はたいして売れたためしがないので、「読まれている」実感があまりない。だから、知らない誰かが指先の感覚で自分の本を読んでくれているなど、とうてい信じがたいことだった。

あっという間に二〇分が経過した。わたしは千円札を取り出した。

「延長はできないんですよね」

「そうですね、一応ひとり二〇分でお願いしています」

もう少し話をしたかった。

グズグズと立ち去らないでいる客の気配を察した白鳥さんは「あ、じゃあ、どんな風に本を読んでいるのか見せましょうか」と、ノートパソコンを取り出した。パソコン自体はごく普通のものだったが、電源を入れたあとに現れたのは、通常のカラフルなデスクトップ画面ではなく、黒くて素っ気ない画面だ。

白鳥さんが慣れた手つきでキーボードを操作すると、本のタイトルがパッと画面に現れ、音声にしたがってタイトルを選択すると、自動音声の抑揚《よくよう》のない声が次々とテキストを読み上げ始めた。それが早送りでもしているような猛スピードで、わたしはなにひとつ聞き取ることができない。

「いつもこんなスピードで聞いてるんですか」

「うん、慣れるとこのほうが楽なんです」

読み上げのスピードは自由に調整でき、途中でストップすることもできると聞いてホッとした。

その声を白鳥さんは脳内で物語に変換していく。興味深いことに、感情が入った人間による「朗読」よりも、この機械的な音声のほうがいいそうだ。

「ひとによって好みは違うけどね。俺は感情が入ってないほうが好きですね」

そのほうが想像の余地がある、ということらしい。それにしても、耳で聞いたものをさらに脳内で別の音に変換するなんて、絵の上に絵を塗り重ねるようでごっちゃにならないのだろうか。とにかく、わたしが目で見た文字を脳内で音声に変換するのと似た処理が行われているらしい。

「でもさっきわたしが入ってきたときに読んでいたのは点字の本でしたね」

「ああ、そうです。あれは大分県の地図ですよ。見ますか？」

「え、あれが地図なんだ」

見せてくれたのは、無数のボツボツとした突起がある大きな白い紙だった。

「この中に別府もあるんですか。別府には行ったことあるんだけど」

「うん、このあたり別府だったかな、あ、ここだ。ほらここ」

触ってみたけれど、小さな突起をわずかに感じるだけで、わたしが知る「別府」とはひとつも似ていなかった。こうして指で触れたものを音に変換できるなんてすごいなあと驚嘆したが、「なるほど、ここが別府なんですね」とクールさを装った。

あまり長居をするのもどうかと思い、「ありがとうございました」とマッサージ屋をあとにした。最後までどうしてここでマッサージ屋を開いているのかはよくわからなかった。

道に迷ったときは

なにはともあれ、こうしてわたしと白鳥さんとマイティは、三人で一緒に美術館をめぐるようになった。明確な理由は自分でもよくわからないけど、とにかくもっと一緒に作品を見てみたい、きっとそこにはなんらかの発見があるのではないかと思えた。

横浜美術館のコレクション展に行ったときは、当時の館長の逢坂恵理子さんが「きゃー！　白鳥さん、お久しぶりですね」と大いに歓迎してくれた。逢坂さんもかつては水戸芸術館に勤めていて、白鳥さんと一緒に鑑賞したことがあるひとりだという。白鳥さんは、年に何十回も美術館に足を運ぶハードコアな美術鑑賞者なので、わたしなんかよりもよほど美術に詳しいし、美術関係者の友人や知人も多い。だから「一緒に見る」といっても、わたしが美術館に連れていってあげるわけではなく、どちらかといえば、わたしが白鳥さんにせっせとついていく格好だった。

白鳥さんは、いつも白杖でツンツンとあたりを突つきながら電車から降り立ち、待ち合わせ場所にやってくる。遅れることはめったにないが、その唯一の例外は、東京都現代美術館に行ったときで、待ち合わせ時間に「ちょっと遅れます」というショートメッセージが携帯に入った。二〇分遅れで東京メトロ清澄白河《きよすみしらかわ》駅に現れた白鳥さんは、面食らったような表情で「いやあ、ここには何回も来てるから大丈夫だと思ったのに、北千住での乗り換えで迷っちゃった！」と言う。

「JR常磐線から地下鉄への乗り換えって複雑だもんね」と白鳥さんと同じく水戸在住のマイティがうん、うんと頷く。

有緒　そんな風に道に迷っちゃったときってどうするんですか？

白鳥　んー、周りの歩いているひとに聞く！

有緒　足音が聞こえてきたら、すいませーん、って言うとか？

白鳥　そうそう！

有緒　話しかけると、みんな応えてくれるもの？

白鳥　うん、だいたいは。八割くらいのひとは教えてくれるけど、二割くらいのひとはそのまま行っちゃう。

有緒　そっかー、行っちゃうのか、世知辛《せちがら》いねえ。

マイティ　あの道とか駅の構内にある点字ブロックって、実際に役に立つの？

白鳥　役に立つかと言われたら役に立つ。あれを手がかりのひとつにして歩くというのが盲人の基本。でも、あの上は安全、と思い込むのはかえってよくない。目が見えるひとが普段歩道歩いているときも、歩道だから絶対に安全ってわけじゃないでしょ。歩道は一応ひとが歩くところって決まっているだけ、それとおんなじ。

有緒　点字ブロックのほかにどんなものを手がかりに歩くの？

白鳥　側溝の蓋とか縁石とか、塀とか。ここにこういう塀があるからこのへんだなと。手がかりの作り方はひとによってまちまちだけど。わざわざ電柱にぶつかりにいくひともいたりして。ああ、あのときと同じ電柱だ、みたいな。

それでもやっぱり道に迷ってしまうことはあるらしい。つい先日も深夜まで飲んでいたら、酔っ払ってしまって帰り道がわからなくなってしまったと白鳥さんは話し始めた。

「夜中の三時とかだからさ、なかなかひとが通りかからないので困ったよね」

「それでどうしたんですか？」

「しばらく待ってたら、ようやくおじさんがひとり通りかかって自分のいる場所がわかったから、家に帰れた。実は考えていたのとそう遠くない場所にいたんだけどさ！」

それを聞くと、ああ、やっぱり目が見えないと大変だなあと感じた。しかし、当の白鳥さんのほうはそこまで「大変だ」とは思っていないようだった。

「そういうのはあんまり大変じゃない？」

「うん。そもそも自分には、目が見えないという状態が普通で、〝見える〟という状態がわからないから、見えないことでなにが大変なのか実はそんなによくわからない」

美術館に行く道中や展覧会を見終わったあとに、たくさんの話をした。わたしは白鳥さんの世界が知りたかった。彼が知っている世界はわたしが知らない世界そのものだった。質問をすると、白鳥さんは淡々とした口調でなんでも答えてくれた。

どんなきっかけで美術鑑賞を始めたのか。どんな作品が好きなのか。なぜマッサージ師になったのか。どんな子ども時代だったのか。目が見えないひとはどうやってひとりで歩くのか。

特にわたしの胸に突き刺さったのは、視覚障害者に対する先入観や偏見についての話だった。正直に言うならば、その先入観とは、まさにいつもわたし自身が感じていたことそのものだった。すなわち「目が見えないなんて大変だなあ」という、それである。

盲人らしさってなんだろう？

白鳥さんが生まれたのは一九六九年。両親はふたりとも晴眼者で、親類一円を見回しても視覚障害者はいなかった。そのため、家族には「目が見えない＝苦労するに違いない」という漠然としたイメージがあり、特に白鳥さんを「けんちゃん」と呼んで溺愛《できあい》した祖母は、繰り返しこう諭《さと》した。

「けんちゃんは目が見えないんだから、ひとの何倍も努力しないといけないんだよ。助けてもらったらありがとうと言うんだよ」

それを聞いた幼少時代の白鳥さんは、じゃあ、目が見えるひとは努力しなくていいの？　そんなのずるい！　と感じた。

「自分には、目が見えないという状態が普通で、〝見える〟という状態がわからないから〝見えないひとは苦労する〟と言われても、その意味がわからなかった」

実際に白鳥さんは、歩く、食べる、お風呂に入るなどの日常生活に大きな不自由は感じていなかった。しかし周囲の大人からは、「大変だね」「そんなことをしたら危ない」「かわいそう」と言われ続けた。そのたびに「なんで、なんで？　なにが大変なの？」と違和感を覚えた。

白鳥さんの目があまり見えていないと家族が気づいたのは、彼が二歳くらいのことだった。親戚のひとりが、「この子の片目が動いていない」と言い始め、病院で診てもらった。診断は弱視で、原因は不明だ。それでも幼少のころはいくらかの視力があり、近所を自転車で走りまわっていた。

わずかながらまだ視力があったため、小学校は公立小学校へ入学した。

「教科書は読めてた？　それとも耳で聞いて勉強してたの？」

「いやー、たぶんほとんど勉強してないよね。通知表に『3』がなかったって聞いてるから」

しかし、わずかな視力も徐々に弱まり、小学校三年生で千葉県立千葉盲学校に転校した。

「ショックだった？」

「いや、もともとあんまり見えてなかったし、いずれそうなるだろうとわかっていたので、ああ、やっぱりなあという感じで、特にがっかりもしなかった」

白鳥さんは盲学校付属の寄宿舎に入ることになり、家族と離れての集団生活が始まった。千葉県内には盲学校は一校だけなので、当時は寄宿舎生活を送ることがむしろ当たり前だった。

「寄宿舎は六人一部屋。いろんな学年のひとたちが交じって一部屋で暮らして」

「ベッドがずらっと並んでる？」

「いや、古いところなんで、畳に布団」

「えっ、毎日布団を敷くの？　自分で？」

「うん。基本的に自分のことは自分でやる決まりで、掃除、洗濯、洗濯ものを干したりもやるよ」

「すごい、そんなの目が見えてたとしても、小学生はやらないよね」

学校では、通常の授業カリキュラムのほか、点字学習、白杖を使った歩行訓練、そして掃除や洗濯などの日常生活の動作など、視覚障害者が独り立ちするためのスキルも教え込まれた。

「そのころは、どれくらい見えてたの？」

「たとえば目の前で手を振ったら見えるくらい。目の前一〇センチとか。だけどそれくらい見えると、夜なら自販機の明かりを目印にできる。この明かりがあるから、そろそろ曲がろうとか」

「でも、それすらもだんだん見えなくなっていった？」

「そう、中学の頭くらいに全然見えなくなった。だけど、どうってことなかったよ。あ、なっちゃったみたいな」

「え、それくらいな感じ？」

「たぶんね、子どものころから両親や祖母とか、お前は目が見えないからどうのこうのと何度も言うから、なんの期待もしてなかった。まあ、どっちでもいいや、みたいな」

このころの白鳥さんはとても内向的だったという。体育の時間に号令をかける係になると緊張で泣き出すほどだった。

「そんなに緊張してたんだ」

「あのときはね、そうなんだよー」

それでも小学校高学年になると、少しずつ人前で話すことができるようになり、両親にも「建二は盲学校に行ってから明るくなった」と言われた。

「たぶんなんだけどさ、俺、盲学校に入る前の小学校とか家とかで、ほとんどなにもしゃべらなかったんじゃないかと思う」


やがて白杖を使って街を歩けるようになり、中学生になると商店で買い物ができるようになった。高校生になると、各駅停車の電車に乗って旅に出かけた。

「同じ寄宿舎に鉄道オタクの先輩がいて、話を聞いているうちに俺も鉄道が好きになってきて、夏休みになると一緒にSLに乗りにいったり。静岡の大井川鐵道《てつどう》とか。特に好きなのは各駅停車の旅。乗客がどんどん入れ替わって、いろんな話が聞けて楽しいよね。見えるひとたちがカフェとかで人間ウォッチングするのに似てるのかな」

このころ好きだったのは図工の授業で、先生は、陶芸技法を使って多様な美術作品を生み出すアーティストの西村陽平だった。

「その授業では、テーマだけが与えられて、なにを作ろうと自由だった。手さえ動かしていればおしゃべりをするのも自由」

もちろん音楽も好きだった。初めてひとりで遠くに出かけたのは高校生のときで、両国国技館の中島みゆきのコンサートだった。

そうして行動半径が広がり、ひとつ自由になるたびに、小さいころから感じていた〝障害者のあるべき姿〟に対する疑問が大きくなった。

「盲学校で教わったのは、障害があるからこそまじめに努力しないといけない、ということ。たぶん先生たちの中でも『障害者は弱者、健常者は強者』で、欠如部分があるならばそれを補って、できるだけ健常者に近づくべきだ、という先入観があったのだと思う」

――どうして自分たち盲人は「見えるひと」に近づくよう努力しないといけないんだ。どうして「かわいそう」なんだ。どうして、どうして。ますます大きな疑問になった。

こうして話を聞きながら、わたしもやるせなく感じた。それはある種の現実なのかもしれないが、それでも、たまたまその体に生まれた個人に対し「がんばり」という負担を押しつけるような理不尽な言葉に聞こえた。本当に変わらなければいけないのは、不公平でバリアだらけの社会のはずだった。

ただ、当時の白鳥さんには、その違和感を表現する術《すべ》がなかった。

「いろんな思いがあったんだけど、人前で話すのは苦手で、自分の中で思いを溜め込んでいた。いま振り返ると、小さいころからいろんな形で『お前はダメだ』と言われ続けて、自分に自信がなくなってしまったみたい」

ダ・ヴィンチが生んだ「転機」

高等部を卒業すると、盲学校の職業課程の理療科（三年間）に進学、「あん摩マッサージ指圧師」

の国家資格を取得した。

「じゃあ、マッサージ師になりたかった？」

「いや、なりたかったわけではないんだけど、あのころは盲人はマッサージ師か鍼灸師になるのが当たり前だったんだよ。周りにも少なくとも資格だけはとっておいたほうがいいと勧められて」

「ほかになりたいものとかなかった？　夢とか？」

「そういう夢とかは全然なかった」

しかし、職業課程の修了と同時に白鳥さんは立ち止まった。このまま盲学校以外の社会をほとんど知らないままマッサージ師になってしまってよいのだろうか？

このときもまだ特になりたい職業があったわけではないが、考えた末に、日本福祉大学（愛知県）の夜間課程を受験した。

「日本福祉大学はずいぶん昔から点字受験をやっていたので、視覚障害者の先輩もいたし」

合格すると、住みなれた故郷を離れ、知多半島でひとり暮らしを始めた。

「思い切って遠くに行きましたねえ」とわたしは驚いた。

「いやあ、遠くに行きたかったんだよね。家から離れたかったというか。両親も過保護なんで、実家もあんまり居心地よくなかったから」

大学生となった白鳥さんに、気になる女性が現れた。同級生のSさんで、〝見えるひと〟だった。

「彼女は感覚がいいというか、一緒にいても自然で。例えば一緒に喫茶店に行くと、メニューを読み上げるんじゃなくて、さらっと『これがおすすめだよ』言ってくれたり、それがよかった」

そんな彼女が、ある日美術館に行きたいと言い出した。

美術館？　デートにいいじゃないか！　と白鳥さんは思った。

それまで美術館には行ったことがなかったものの、「じゃあ、俺も行くよ、一緒に行こう」と提案。彼女も喜んだ。この日が人生の分岐点になることなど知る由もなく、ふたりは名古屋市内にある愛知県美術館に向かった。総合文化施設の一〇階にある美術館である。そこでは「エリザベス二世女王陛下コレクション　レオナルド・ダ・ヴィンチ人体解剖図展」が開催中だった。

その日、Sさんは言葉を使って展示内容を説明した。初めて足を踏み入れた美術館に、初めて見たアート作品。また、それを見るために集まったたくさんの人々。

こんな世界があったのか、と白鳥さんは胸を躍らせた。

「展示内容というよりも、美術館の静かな雰囲気とか、なにもかもにワクワクしちゃって。いま思うとデートの楽しさと美術館の楽しさが一緒になって、勘違いしちゃったのかもしれないけど！」

「ははは、そういうことってありますよね」と答えた。わたしも二〇代のころは競馬が好きだったが、それは単に競馬好きの父と話したかっただけかもしれない。

それにしても、この日ふたりが選んだ展示が「人体解剖図展」というのは、偶然なのか必然なのか。それは、ルネサンス最盛期（一五世紀）に生きた天才、レオナルド・ダ・ヴィンチ（一四五二〜一五一九）の人体構造に対する研究の成果である。

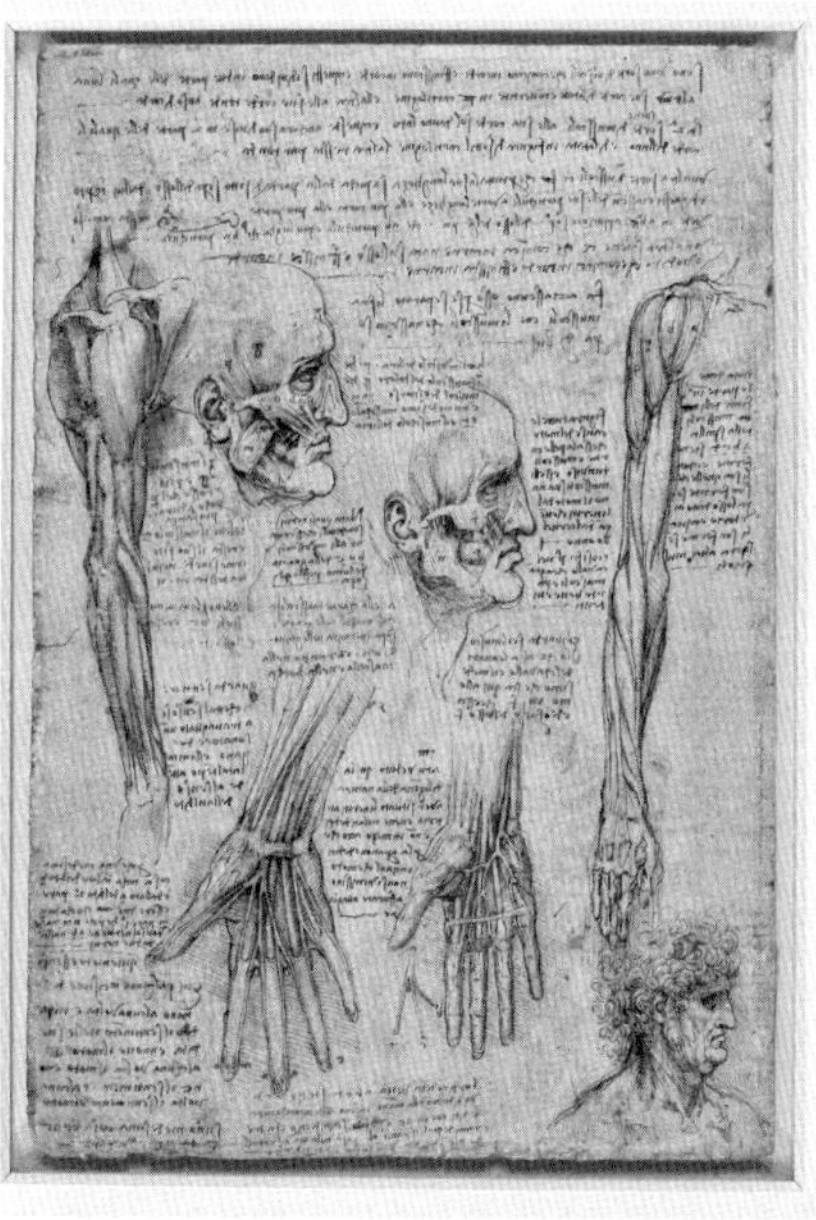

レオナルド・ダ・ヴィンチ《顔面と腕と手の解剖》
（1510～1511年頃）28.8 × 20.0㎝

ダ・ヴィンチは観察や研究を綿密なメモや素描にし、「手稿」として残した。手稿は、建築、天文学や軍事学、都市計画など多岐の分野にわたり、特に熱心に研究を行った分野が「解剖学」だった。数ある手稿の中でも有名な『ウィトルウィウス的人体図』は、いまや多くの医学書のデザインにも使われているので、どこかで目にしているひとも多いだろう。円と正方形の中に二体の男性の絵が重ねられたように収まっていて、人体の比率に関する研究の集大成である。研究成果を簡単に知られないためなのか、手稿は古いイタリア語、しかも左右反転した鏡文字で書かれていた。

ダ・ヴィンチの死後は、弟子のひとりが手稿を守っていたが、やがてヨーロッパ中に散逸してしまった。ただ、まとまった数の素描がイギリス王家の所有となり、描かれてから五〇〇年後、海を越えてはるばる名古屋にやってきた。

骨格や筋肉、人体の構造に関しては、マッサージ師の資格を持つ白鳥さんもよく知る分野だった。白鳥さんとSさんは、心臓の血管、子宮と胎児の関係、腕や首の筋肉のつき方、頭蓋骨などの形などを表した貴重な素描を見ていった。

ダ・ヴィンチが残したスケッチは、近代

医学の発展の礎になったのと同時に、愛知県で生活する全盲の男性の人生を変えた。

「それまで絵とか全然興味なかったんだけど、全盲の自分でも絵を楽しんだりできるのかなって思って。それに、盲人が美術館に行くなんて、なんか盲人らしくない行動で、面白いなって」

ほかの盲人がやっていないことだからこそ、白鳥さんはやってみたかった。

情報誌の『ぴあ』を友人に読み上げてもらい、気になる美術展を見つけると自ら美術館に電話をかけた。最初に行こうと決めた作品展は、フィンセント・ファン・ゴッホの展覧会だった。

「自分は全盲だけど、作品を見たい。誰かにアテンドしてもらいながら作品のことを言葉で教えてほしい。短い時間でもいいからお願いします」

しかし、電話の向こうにいるひとは戸惑った声になり、「そういったサービスはしていません」と答えるばかりだった。九〇年代の半ば、視覚障害者のアクセシビリティを配慮している美術館はまだ少なく、全盲のひとが美術作品を鑑賞することは完全に想定外だった。

「断られ続けて気持ちが折れなかったですか」とわたしは尋ねた。

「いやあ、長年〝障害者〟をやっている自分には、そんな対応は折り込み済みだから、『そこをなんとかお願いします！』と頼むわけ。すると、『電話を折り返します』という展開になって、最後には『じゃあどうぞ』ということになりました」

そして美術館の扉は開かれた。この続きは、またのちほど。

第3章

宇宙の星だって抗えないもの

クリスチャン・ボルタンスキー《出発》《最後の時》《聖遺物箱（プーリム祭）》《発言する》《スピリット》《ぼた山》《白いモニュメント、来世》　ほかある日、白鳥さんとマイティを自宅でのランチに招待した。トマトソースを作り、パスタが茹であがる寸前になって、ちょっと待った、麺類って白鳥さんには食べにくいんじゃないかしら、と思った。実際のところ、白鳥さんは麺類が大好物で、いつもひとりのときは「素麺を茹でて食べてる」とのことでホッとした。

マイティと白鳥さんには、日本全国に行ってみたい美術館があり、食べている間にも次から次へと美術館の名前が上がるので、わたしは主にそれを書き留める係になった。

このころのわたしは、まだ大きな勘違いをしていた。なにしろ白鳥さんは目が見えないのだから、なんだかんだ言っても作品に触れるほうがいいだろうとか、体験型のほうが楽しめるかもしれないと思い込んでいた。しかし、白鳥さん自身は、触れるか触れないかには微塵《みじん》もこだわりがなく、平面でも映像作品でも彫刻でも関心があれば「いいね、見たい」と微笑んだ。

ただし興味がないものは「俺はパス！」と言うので、なんでもいいわけでもない。彼の好みを端的に言うならば、作品としては「よくわからないもの」。ジャンルでいえば現代美術である。

「わかりにくさこそが、たまらないんだよねー。むしろわからないほうがいい、なにひとつわからん！　意味があるのかもわからん！　くらいが最高」

そうだよね、わかる！　わたしもよくわからないものに惹かれる。いや、たぶん「わからない」

の向こう側にあるものに惹かれている、と言ったほうがいいのかも。子どものころに、学校の怪談とかバミューダトライアングルとかに熱中した感覚とちょっと似ている。

一方のマイティは、この作品がいいとかあのアーティストが好きとか嫌いとかなどはまったく口に出さない。別に世の中のすべてにクールというわけではなく、俳優とかミュージシャンに関してはファン魂を炸裂《さくれつ》させて過剰な熱心さで追いかけていくのだが、こと「美術」になると急に超然とした態度になった。まるで「鑑賞」という行為自体が自分に与えられたミッションであるかのように、すべてをあるがまま受け入れた。

あるとき、マイティはこう言った。

「そのひとがそのひとのままで作品を見たり、作ったりすることが尊いと思うんだ」

さらりと言った「そのひとがそのひとのままで見る」という発言は、興味深い。彼女の中では、作家による作品制作、美術館による作品の展示、鑑賞者による鑑賞の三点は上下のないフラットな関係にあるようだった。そして、作品制作から鑑賞までの一連のリレーの最後のバトンを担う鑑賞者は、一〇〇人いたら一〇〇通りに作品を解釈する権利があるという強い信念を彼女は持っていた。それは美術鑑賞には正しい知識や解釈が必要だという権威主義や知識偏向主義に真っ向から抵抗するものである。

フランスから来た現代美術の巨匠

そんな三人が、全員一致で「見よう」と盛り上がったのが「クリスチャン・ボルタンスキー Lifetime（ライフタイム）」（東京都・国立新美術館）だった。フランス人のボルタンスキー（一九四四〜二〇二一）は現代美術界の世界的な巨匠で、個人の記憶、死、人間の「不在」といった重苦しいテーマで作品制作をしている。日本でも廃校をまるまる使った《最後の教室》（新潟県十日町市）、《心臓音のアーカイブ》（香川県・豊島《てしま》）などの作品は、ほぼ年間を通じて見ることができる。

国立新美術館は、千代田線乃木坂駅から歩いてすぐのところにあるガラス張りのモダンな建物である。その日は友人の有村眞由美《まゆみ》さんも誘った。彼女は行政書士の仕事をしながら高校生の息子を女手ひとつで育てているシングルマザーである。行動力がずば抜けていて、突発的に旅に出たり山に登ったり、フラメンコを踊ったりとアクティブなひとだ。

眞由美さんに初めて会ったのは、わたし自身のトークイベントだった。眞由美さんはわたしの話を聞きながら熱心に頷いていていて、その食いつきぶりからしてわたしの本を愛読してくれている読者に違いないと確信したのだが、サインしながら話をしてみると「まだ一冊も読んだことないので、これから読みます！」と言うので思い切りずっこけた。読んだこともないのにイベントに来たのか、面白いひとだなと好感を持ち、いまとなっては友人としてハイキングなどにも一緒に出かけるようになった。しかし、特筆したいのは、その声だ。彼女の声は、ふわっとしながらも落ち着きがあり、ほのかな色気が漂い、聞いていて心地よい。だから、「言葉」で作品を見る行為にぴったりだと思ったのだった。

平日の午後に「来てよー」と呼び出された眞由美さんは、ボルタンスキーのことは聞いたこともないという。とはいえ、わたしたちもそう詳しくないので、美術館を前にしたわたしたちの会話は、完全なる無知ぶりを露呈していた。

「ボルタンスキーって確かフランス人だったよね」「あれ、セルビアとかじゃなかったっけ」「いや、フランスだったと思う」「名前はロシアっぽいけど」「確か、奥さんも現代美術家だったような」

（……以下同様の会話が続く）

今回の展示は、多数のボルタンスキー作品の中から、過去五〇年にわたる四九作品を集めた回顧展で、展覧会全体がひとつの巨大作品のように連動しているとのことだった。

なんかスゴそうじゃない？

心臓音の中で

最初にあった作品は、見るからに異様な映像だった。

カメラの目の前では、ひとりの男がいまにも死のうとしていた。ゲホゲホとひどい咳《せき》をし、口から血をピュッピュッと吐き出しながら、壮絶に苦しんでいる。殺風景で古ぼけた部屋で、男はひとりきりで、どこまでも孤独だった。

——このひとはもうすぐ死ぬんだ。いやだ、死ぬ場面は見たくない。

そう思いながら映像の部屋を途中で出ると、今度はどこか不吉な青さを宿したネオンサインが壁に架かっていて、「DEPART」の文字が派手に光っていた。

デパートって、まさか百貨店のこと……じゃないよね。なんのことだろう？

次の展示室にはモノクロの古い家族写真が並んでいた。わたしたちは、目に見えたものを順々に口に出していった。

クリスチャン・ボルタンスキー《出発》(2015年)
170 × 280 × 10cm

マイティ　Ａ4くらいの大きさの写真が、縦が一五列、横に一〇列で、全部で一五〇枚くらいあるのかな？　上のほうにライトがあって写真を照らしてるんだけど、はっきりとは写真が見えないの。

有緒　戦前のヨーロッパの写真みたい。ここに写っているのはみんな大家族だな。バカンス中かも。海辺の写真とかパラソルとか。

白鳥　じゃあ、楽しい系？

有緒　楽しそうだな。赤ちゃんもいるしね。ワイワイした感じ。
眞由美　写真はメタリックな銀色のフレームにはまってるの。

楽しい系？　と白鳥さんが聞いたのには、わけがある。白鳥さんは過去にいくつものボルタンスキーの作品を見ていたが、いずれも重苦しさ満点で、「楽しい気分になれない作品」という印象を抱いていた。そんな事前の印象に反して、この作品は楽しげな雰囲気の家族写真である。しかし、ぐっとひいて作品群全体を俯瞰《ふかん》してみると、やはり冷たさや不穏な雰囲気も漂っている。その理由は、マイティが言う通りに「はっきりとは写真が見えない」ことかもしれなかった。「よく見えない」。これこそが、彼の作品の大きな特徴のひとつなのだ。

次の展示室は五メートル四方ほどの小部屋で、ものすごい爆音で心臓音が鳴り響いていた。室内は薄暗く、天井からぶら下がる電球がひとつあるだけ。

ドクッ、ドクッ。ドクッ。

テレビのボリュームで言ったら「38」くらいで、「ねえ、ちょっと音量を下げてよ」と文句を言いたくなるほど。

ドクッ、ドクッ。ドクッ。

「ねえねえ、こういう心臓音とか聞くとどう感じる？」わたしは白鳥さんに尋ねた。
「いや、いやだな。いやな感じ。不穏な感じだな」

「わかる、そうだよね」

同じ心臓音でも、デリケートにそっと聞かせるという手もあるのに、実際はその真逆なので完全にホラーである。

ドクッ、ドクッ。ドクッ。

その心臓音のリズムに合わせて、電球の光は強弱を繰り返した。

白鳥さんは二〇歳くらいまでは光だけは見えたらしい。しかし、子どものころに視覚を失ったため、形や色などの「視覚の記憶」（と白鳥さんは呼ぶ）はほとんどない。それでも光のイメージだけは脳裏に焼き付いている。だから、音と光で構成されるこの作品に関していえば、わたしたちが見ているものと白鳥さんが描いているイメージは、ある程度一致しているのかもしれない。

だからといって、白鳥さんが突如として雄弁に語り出す、ということはなかった。短絡的なわたしは、白鳥さんは視覚情報がないぶん聴覚などの感覚はめちゃくちゃ鋭いに違いない、ほかの誰もが気づかないようなことを発見したりして……、そうしたら面白い展開になるな、うふふ、という期待を勝手に膨らませていたが、白鳥さんはあっさりとそれを否定した。

「見えないからこそ感じるものがあるだろうってよく言われるんだよねー。そりゃあ、見えないから感じるものはありますよ。でも、見えないから感じることは、見えるから感じることと並列だと思ってるんだよ。そこにどういう差があるんだってツッコミたくなる。見えないからこそ見えることがあるって言うひとは、たぶん盲人を美化しているんじゃないかなあ」

ええ、その通りだよね、スミマセン……。

ボールに仕込まれた鈴の音などを頼りに自在にボールを操るブラインドサッカーの選手や、ピアニストの辻井伸行さんの世界的活躍などを見るにつけ、「全盲のひとは抜きん出た感覚を持っている」という偏見が自分の中にはびこっていたようで、恥ずかしかった。

「あのね、当たり前だけどさあ、全盲のひとでも感覚が鋭いひともいるし、そうじゃないひともいるんだよ。運動神経がいいひともいれば、音楽の才能があるひともいる。それでいうと、自分は普通」と白鳥さんは言う。

そういえば、前にわたしが「体を触っただけでいろんな人間性とかわかったりするんですか」と白鳥さんに聞いたときも、「いや、全然わからない」と答えた。たぶん彼は、そんな風に特別視されることにウンザリしているのだ。確かにわたしも日本人だというだけで着物がさっと着られるはず、すごいですね、と決めつけられたら、「いや、もう二〇年も着てないし、着方もわからない」と答えるしかない。

とはいえ、一緒にいればいるほど、やっぱり聴覚や触覚など、一部の白鳥さんの感覚は自分と比べるとかなり鋭いと思ってしまうのも本音だった。

ドクッ、ドクッ。ドクッ。

興味深いことに、心臓音に対する眞由美さんの反応は、白鳥さんとは正反対だった。むしろ爆音に身を委ねるようにリラックスした声で言った。

「わたしはわりと（心臓音が）好き。生きている感覚がある。お腹に赤ちゃんがいる感じ。さっきの写真の家族が急に生きている感じがしてきた。ちゃんとみんなそれぞれ生きたんだなって思うのは、この心臓の音がするからかな」

　眞由美さんは夫とは死別していた。そんなこともあって、この心臓音を聞きながら、息子さんがお腹にいたときのことを思い出していたのだとあとから教えてくれた。

　ボルタンスキーは人間の心臓音をアーカイブするプロジェクトも行っている（香川県・豊島の《心臓音のアーカイブ》）。そこでは、ボルタンスキー自身の心臓音に加え、世界のひとの心臓音を聞くことができる（二〇二〇年時点で約七万人）。この心臓音は、その七万人のうちの誰かのものだろうか？　そう考えていると、マイティが唐突に言った。

「ねえ、さっき高い場所にデジタルの数字の表示があったでしょ。ほら、あそこ！」

「ん、どこ？　あ、ほんとだ！」（一同）

　言われてみれば、壁のとても高い位置に、莫大な数字を刻み続ける電子カウンターが架けられていた。

クリスチャン・ボルタンスキー《最後の時》
（2013年）18 × 48 × 6㎝（カウンター）

マイティ　あれと心臓の音が連動している気がするんだよね。数字の桁が大きすぎて二億三千……いや、二三億六千かな。

白鳥　カウントしてるんだ。何色のデジタル？
眞由美　赤と黒ですね。
有緒　あ、もしかしたら、ボルタンスキーの心臓の鼓動の回数なのかなあ。

こうして眺めている間にもどんどん数字は増えていく。いくら眺めても、やはり意味がわからない。わかないものを考えても仕方がない。じゃあ、次いこう、次！

クリスチャン・ボルタンスキー《聖遺物箱（プーリム祭）》（1990年）195 × 190 × 23㎝

山積みになった死体

先に進むと、今度は広場のような大空間が出現した。薄暗い部屋のあちこちに、モノクロの顔写真と照明が多用されたインスタレーションが、これでもか、これでもか、これでもか、とばかりに展示されている。
「わあ……」とわたしはため息を漏らした。

淡い光が満ちた空間が美しく、大聖堂に入ったような感覚に包まれた。蠟燭《ろうそく》の光が揺らめき、ひとが祈りを捧げる場所だ。

しかし、個々の作品のディテールを見ていくと、今度は戸惑いを覚えた。ここには教会にあるようなものがひとつもない。あるのはフレームに入った顔写真と電気スタンド、そしてブリキの小箱だけで、それらが幾何学的にディスプレイされているだけだ。それなのに、なぜだか周囲に祭壇があるように見えてくる。アーティストだけがかけられる魔法を見せられている気分だった。

そのとき、作品をじっと観察していたマイティが唐突に言った。

「ねえ、毎回思うんだけど、ボルタンスキーの作品って、(写真の)目のところが怖いな。だって眼球がわからないの。彫りが深い部分が真っ黒になってるの。でも顔は笑ってるみたいで、それが怖い」

え、またなにかが怖いの？　と思ったが、確かにその通りだった。個々の写真は、めいっぱい引き伸ばされ、ピントがぼやけている。

「近すぎて、そのひとの中に入り込んでいくみたい。きっと、ボルタンスキーはこのひとたちの中に入りたかったのかなあ」と眞由美さんが言った。なるほどーと思った。

どれもこれも、広告で見るような「幸せそうな写真」とはかけ離れている。このひとたちがどんな人生を生きたのかは想像もつかなかった。幸福な人生だったのか、苦しみの多い人生だったのか。それを知るヒントはない。しかし、それはどうでもよいことのようにも思えた。彼らはモニュメントとして祭壇に祀《まつ》られ、なにか別次元の存在に昇華されている。顔も表情もはっきりとは見えない、だからこそわたしたちはそこに別のひとたちの顔を重ね合わせ、誰かを思うことができるのだ。

さて、広い展示室を離れて廊下を通り抜けると、奥に黒く巨大な山のようなものが見えてきた。

「大きな山があります。なにかが積み重なってるの。高さ四メートルくらいかな。ああ、シャツ！　いや、ジャケットだ。真っ黒いジャケットがバサバサと積み上げられてる！」

眞由美さんが少し興奮した口調で説明する。

黒いジャケットでできた山の上空には、たくさんの顔写真がゆらめいていて、まるで遺影のようだった。

反射的に大量虐殺のシーンを思い浮かべた。もしかして……。

「ホロコーストと関係あるのかな。実際の犠牲者のジャケットとか。それにしては全部似たようなジャケットだから違うのかも。なにかの〝記号〟としてのジャケットなのかな」

わたしがそう言うと、みんな、うーんと首をひねった。その次の瞬間、今度はもっと奇妙奇天烈《きてれつ》なものが目に入った。

「あれは、なんだろう！　黒いコートを着た木の棒で、ひとが進もうとしているような形で、頭（の部分）はランプなの」

マイティが目指す方向には、「ランプ人間」とも呼ぶべき異様な人形があった。それらが山を囲むようにポツンポツンと何体も立っている。しかも、近づいてみると小さく声を発していた。

有緒　声が聞こえるよ。
白鳥　うん、聞こえるね。さっきからしゃべってるよ。

どうやら白鳥さんには、とっくにその囁き声が聞こえていたらしい。

——ねえ、聞かせて。突然だったの？
——怖かった？　聞かせて。意識はあったの？
——Tell me was it brutal?（聞かせて、それは残酷だったの？）
——Tell me did you pray?（教えて、そのとき祈った？）

ドキッとした。ランプ人間は明らかにひとの死の瞬間について尋ねていた。ソフトで丁寧な口調と、その質問内容とのギャップが気持ち悪かった。

クリスチャン・ボルタンスキー
《発言する》（2005年）

——ねえ、あなたは飛んでいったの？
——光が見えたの？

山》（2015年）

クリスチャン・ボルタンスキー　左が《発言する》(2005年)、天井が《スピリット》(2013年)、中央が《ぼた

「ねえ、これって絶対に（死んだ）本人に聞こえない質問だよね」

すべてのランプ人間に耳を傾けたマイティが、呆《あき》れた声で指摘した。

——教えて、死ってどんな感じ？

おい、ランプ人間、いくら語りかけたところで、死んだひとは答えてくれないんだよ。それが、相対性理論よりも確かな世界の摂理というものなの。あまりにも傍若無人に声を発するランプ人間が腹立たしかった。

あとから調べたところによると、「ホロコースト」は当たらずとも遠からずだった。ボルタンスキーの父親はユダヤ系で、戦時中には二年間も床下に隠れて生活していたという。だから両親は、戦争が終わっても家族が引き離されることを恐れ続け、夜も家族全員が同じ部屋でひとかたまりになって眠りについた。おかげでボルタンスキーはほとんど学校にも通うことができず、初めてひとりで街を歩いたのは一八歳のときだった。

だから当然、ホロコーストは彼の作品づくりの原点で、この作品も大量虐殺となんらかの関係があるのだろう。しかし、ボルタンスキーは個々の作品とホロコーストを直接結びつけるような発言はしていない。たぶんこの《ぼた山》が表しているのは、ひとつの事例ではなく、もっと普遍的なことなのだろう。

山になっているジャケットは、ただ積み上げられ、問いに答えることのできなくなった人々を表している。そういうひとたちは、ホロコーストだけではなく、はるか以前から今日に至るまで世界中にずっと存在している。

――ねえ、あなたは飛んでいったの？

クリスチャン・ボルタンスキー《白いモニュメント、来世》(2019年)

見えるもの、見えないもの

　展示はいよいよ後半に入った。今度はケバケバしい紫色のネオンサインが現れ、漢字で「来世」とあった。んんん？　あんな人間社会の残酷さを凝縮したような作品のあとに、光り輝く「来世」ってなんなんだ？　しかも周囲には墓石を彷彿《ほうふつ》とさせる四角いオブジェが並んでいる。「いらっしゃーい！」と場末のバーにでも誘うようなノリが不意打ちで、わたしたちは笑い出した。

「来世ってことは、いま死んじゃうのかな！」「よおし、来世行きまーす！」とふざけながら、ネオンサインの下をくぐり抜けた。

　来世ゾーンでは、たくさんの形や色の古い服がぶら下がっていた。さきほどのボタ山のジャケットとは異なりこちらは本当に誰かが着古したものに見えた。

その後も作品が続き、疲労を感じたころに、長い展示もついに終わりに近づいた。

出口には、また赤くキラキラと光るネオンサインが――。

ARRIVEE。

「『ARRIVEE』って、フランス語だよ」とわたしは首をひねった。

「どういう意味？」（マイティ）

「ええと、到着」

「じゃあ、どこかに到着しちゃったの？　わたしたち」（マイティ）

「そういうことになるね」

そう口に出して、ハタと気がついた。

ああ、そうか。そういうことか！

ようやく鈍いわたしでも理解できた。展示冒頭にあった「DEPART」もいま思えばフランス語で、「出発」を意味する（やはり百貨店とは無関係だった）。そのふたつの単語が架け橋となり、四九の作品がひとつの川のように繋がった。


楽しそうな家族のスナップ。

その横でドクドクと響く心臓音。

巨大な数字を刻み続ける不思議な電子カウンター。

モノクロの顔写真の祭壇に、死体の山。

そして来世ときた。

そうだ、展覧会タイトルが最初から伝えてくれていたじゃないか。


――Lifetime（ライフタイム）――


そう、この展示が表すものは人間の生と死だった。

人生には、常に「出発」があって死という「到着」がある。心臓が鼓動を打ち続けるのはその間だけだ。ひとは生まれ、それぞれに与えられた時間を生き、死ぬ。いくらLife goes onって言っても、いつかは終わってしまう。その当たり前の真理の断片、つまりひとが生きていた証拠である写真や古着、心臓音をボルタンスキーは生涯かけて集め続けた。そして作品を作るという行為を通じ、祈り、死者たちを弔っている。

きっと、あの謎の数字を刻み続ける電子カウンターも、いつかはピタリと動きを止めるに違いない。人生の「到着」のそのとき、すべての心臓が止まるのと同じように。

ああ、そういうことなのか。謎が解けたようで気分はすっきりしていた。

回顧展という形で五〇年ぶんの作品を一気に見ることで、ようやくボルタンスキーという作家の端っこをつかめた気がした。それは、みんなと一緒に話しながら見たからこそつかめたものだった。

大きな伸びをしながら美術館を出ると、外では初夏の太陽が輝き、六本木の喧騒《けんそう》の中を人々が忙しそうに行き交っていた。

この日は、美術館の前で白鳥さんのポートレートを撮ろうということになっていた。白鳥さんのマッサージ店は完全にクローズし、これからは美術鑑賞の活動や仕事を増やしていきたいと白鳥さんは静かに決意していた。そもそも若いころの白鳥さんはマッサージ師を目指していたわけではなく、将来が見えないまま、「資格だけでも」と勧められて進んだマッサージ師の道を結果的に長い間歩んでいたのだった。

「有緒さんも来てくれた『アートセンターをひらく』（水戸芸術館）でマッサージ屋をやったでしょ。あれで自分の中でマッサージと美術というふたつの世界が繋がってね、よし、じゃあこれをきっかけにもっと美術のほうに行っちゃおうって勢いがついたみたい」

あの不思議な美術館のマッサージ屋は、長年なりわいとしてきた仕事に区切りをつけた瞬間だった。わたしは首の痛みを治しにいっただけだったけど、実はずいぶん大切な瞬間に立ち会っていたことに気づいた。

それならば今後の活動に向けてちゃんとしたポートレートが必要だね、ということで友人のカメラマン、市川勝弘さんに撮影を頼んだ。市川さんは引く手数多《あまた》のカメラマンだが、会うたびに親戚の叔父さんみたいにニコニコしながらたくさんの写真を撮ってくれる。家族写真でも誕生日でも日常の風景でもとにかく惜しみなく撮る。わたしはそれが、嬉しい。たくさんの瞬間を覚えておきたい。写真に撮ったからといってすべてを覚えていられるわけでもないけれど、写真に撮ってあるというその事実だけで自分がそこにいたことを誰かが覚えていてくれるように感じる。

市川さんは、角度や背景を変えながら二〇回ほどシャッターを切った。

「いい感じで写ってますよ」と白鳥さんに声をかけた。しかし、この写真だってボルタンスキーにかかれば誰だかわからないくらい引き伸ばされてしまうことだろう。

死ぬことはやっぱり怖い

美術館をあとにすると、恵比寿にあるわたしの妹の事務所に移動し、ワインのボトルを特急列車のように空にしながらおしゃべりを続けた。

「今日はさあ、ピントが合ってない写真がずっと続いて、全部の作品を見るのは疲れるかなとか思ったんだけど、途中から流れに乗って見られた感じがあったよね」

白鳥さんは、白ワインを飲みながらご機嫌に言った。実は白鳥さんはこの展示を見るのは二回目だったのだが、前回とは作品の印象が大きく変わったという。

「眞由美さんがいたからかなあ。そういうのって、見えるとか見えないとか関係なくって、誰かに会うことで世界が広がるよね。今日も眞由美さんがいたから作品の見方が広がったように思う」

そうやって、白鳥さんは誰かの主観とともに作品を見ることを楽しみ、その解釈の振れ幅もポジティブに捉えていた。「ひとによって作品の捉え方は違うけど、なにを信じてなにを信じないかを決めるのは自分だから、とにかく自由に話してくれればいい」と白鳥さんは言う。実際にわたしたちの直感と観察に頼った作品の解釈は、いい加減で不確実なものだった。たとえば、莫大な数字を刻む謎の電子カウンターの意図を図録で確認してみると、あれは《最後の時》という作品で、ボルタンスキー自身が生きた時間を秒単位で刻んでいるとのことだった。そして彼の死の瞬間にカウンターは止まることになっている。だからあのときの「心臓音かも」というわたしの憶測は完全なる正解ではなかった。

とはいえ、作品を見ながら本来の意図と異なる解釈をしていたとしても、ボルタンスキーはまったく気に留めないのではないだろうか。作品の見方はひとつではなく、見るひとの数だけあり、時代とともにまたその解釈や価値も変わっていく。実はそれこそが美術を見る面白さのひとつだ。二〇一九年のわたしたちからしたらとんでもない駄作も、二二世紀には三五〇億円くらいで取引されているかもしれないのだ。

有緒　ああやって、みんなの会話を聞いてると、白鳥さんの頭の中にイメージができるもの？　それが記憶の中に残ってく？　色とかも。

白鳥　うん、まあ今日だったら、色は特徴的だったから印象として残ったね。青い電球の光とか紫のネオンとか。

市川　それって別々の「色」として識別してるんですか？

白鳥　ううん、概念として残るだけ。電球の青さの加減まではわからない。たぶんそれをいくら説明で聞いたところで、俺の頭の中では（記憶のストックがないので）細かくは再現できない。でも「青い」「電球の光」という概念は残るんです。

この「色」の概念の話は、白鳥さんと作品を見たほとんどの「見えるひと」がする質問だったが、今日も白鳥さんは丁寧に答えた。

市川　白鳥さんはさ、展示を「見る」っていう言い方をしますよね。その表現がすごくいいなあと思うんだけど、やっぱり「見て」るんですね。

白鳥　うん、そうそう。

マイティ　それ言うなら本を読むともいうよね。白鳥さんが感覚器官として使っているのは耳なんだけど、「読む」とか「見る」っていうんだね。

白鳥　そりゃそうだよ。盲学校でも「テレビを聞く」っていうひとはいないよ。たとえ目で見てはいなくてもテレビというものは「見る」ものだし、本は「読む」ものだよ。

マイティ　現に見てるもんね、やっぱり。

その後、話題は人生の「到着」に移っていった。「到着」はいつやってくるかはわからない。まだすごく先かもしれないし、一週間後かもしれない。スゴロクみたいにサイコロを振って一コマだけ進んだ先が一気に「到着」に繋がっているのかもしれない。

「うちの純也さん（マイティの夫）はさ、自分が死ぬことを想像すると怖くて眠れなくなっちゃうの。すごく面白いなと思って。だって、普段はいつでもどこでも寝られるひとなのに、死ぬことを想像すると寝られないんだって。両親も健在だし、周りに亡くなったひともいない、それなのに、自分が死ぬことを想像するとパニックになるみたいで。それだったら記憶をなくすまで飲むな！って言いたいよ」

マイティはあっけらかんとした口調で言った。ああ、このひとは死を恐れていないんだな、羨ましい、と思った。

わりとはっきりと自覚しているのだが、わたしはたぶん純也さんと同じくらい死ぬのが怖い。しかも、いつのころからか自分は早死にするのではないかと思うようになった。決して「死にたい願望」があるわけではない。ただ、何人もの大切な友人や家族を見送ったいま、死がマンションの隣人くらいリアルな存在になってしまった。だからこそ、あのランプ人間がズバズバと投げつけてきた質問が腹立たしかった。

――教えて、死ってどんな感じ？

うるさい、そんなの、誰もわかんないよ。

死を恐れるとき、本当はなにに対して恐怖を覚えているのだろうか。展示冒頭の《咳をする男》（一九六九年）のような身体的苦痛に対する恐怖心か。ひとりで逝くことの途方もない寂しさか。自分の肉体が消えるという恐怖だろうか。それとも残されたひとのことを考えると悲しくなるのか。誰かを忘れてしまうことだろうか。そのすべてか。

そのとき、七年前に亡くなった友人のことが頭をよぎった。彼はまだ二〇代で、しかも自ら選んだ死だった。

有緒　これはわたしだけの問題なのかもしれないけれど、友人の中で若くして亡くなったひとがいるんです……。彼のことがとても好きでした。わたしが彼とふたりだけで過ごしたあの時間は、もうわたししか覚えているひとがいないと思うとすごいプレッシャーを感じる。あのときの彼のすべてを忘れないでいたいって思う。それを覚えていられるのはもうわたしだけだから。

眞由美　ああ、わかります、その感覚。自分がハードディスクになったみたいな。そのひとの記憶はもうここにしかない。

有緒　しかも、壊れやすいハードディスクだったりするよね。過去の記憶が曖昧で。

白鳥　そもそも、みんな「過去の記憶」っていう言いまわしをするけど、記憶ってさ、どんどん新たに書き直されていくから、結局それは「いま」の記憶なんじゃないかな？どうしたって思い出すたびに記憶は上書きされるから、過去の時間はその当時のままじゃないんだよ。そもそも記憶の仕組みとしてそうならないといけない。過去の記憶のまんまそのまま保存できるひとがいたらそのひとは病気です。

有緒
白鳥

うん、記憶がどんどん変わっていってしまうのは、確かにその通りだよね。それにね、「未来」っていうのもわからないわけじゃない。たとえば、俺の祖母はある宗教の熱心な信者だったから、真面目に信心すれば転生して未来は変えられるという話をよくしたわけ。だから、子どものころは、風呂でぼーっとしながら、そうか、じゃあ、俺も次の人生では目が見えるようになるのかなとか思ったりもしたんだけど、結局のところ、よく考えると「未来は変えられる」という理屈がよくわからないわけ。未来は変えられるっていっても、あらかじめ俺の運命がどこかに書いてあるわけじゃないから、自分では変わったかどうかわからないわけじゃない。だから、未来もやっぱりわからないものなんだよ。

わたしたちは、次から次へと冷えたワインを開けた。初夏の陽気には冷たい白ワインがよく合う。眞由美さんのふんわりとした声とマイティのからりとした口調が織りなすハーモニーで、白鳥さんもよくしゃべった。

「俺は、ここ最近は安い白ワインに氷を入れて飲んでる。安いワインでも、冷たくすると美味《おい》しくなる。いかにも日本酒っぽい純米酒を煮物とかで晩酌するのも好きだな。いまの季節だったらやっぱりつまみはもずく酢だよね、うん」

へべれけモードになってくると、わたしは自分が持つ過剰な生への執着（要するに「長生きしたい」という話だ）をしつこく語り続けた。なんだかんだと突き詰めていくと、自分の場合、死に対する恐怖は、ただ一点に集約されることに気がついた。それは、まだ幼い娘の将来を見ずに死にたくないということに尽きた。未来の娘の姿を見届けずに死んでしまう自分。そして、娘の記憶の中で薄くなっていく自分を想像しただけで、無念すぎてわーっと声をあげて泣きたくなる。いやだ。絶対にいやで、それはもう恐怖だった。

それを聞いた白鳥さんは、吐息で紙吹雪でも散らすように「俺はどっちでもいいな。明日死んでもいい」と言った。

「えー！　どうして。ゆうこさんが悲しむでしょう」

白鳥さんには自他ともに認めるラブラブなパートナーがいる。ねえ、そのひととの別れは辛くないんですか。

「いやあ、どの時点で死んでも、結局は後悔するような気がするの。なにかをやり遂げたら満足、もうこれで死ねるっていうのはない気がするんだ。だから、そこは望んでない。それでさあ、過去のことも過ぎ去っていくとどんどん記憶が変わったり、忘れちゃったりするじゃない？　それで未来のこともよくわからない。そうすると、結局のところ、ちゃんと自分がわかっているのは『いま』だけなんだ。だから、俺は『いま』だけでいいかな。過去とか未来とかじゃなくて『いま』だけ。だから、俺はもう明日死んでもいいと思う」

「いま」だけで、いい。

あのとき、実にさらりとそう言った白鳥さんには、誇張でも美化でもなく、やっぱり特別ななにかが見えていたんじゃないか、と密かに疑ってしまう。だって、あまりにズバリなんだもの。

あの展覧会のあと、わたしはボルタンスキーの作品やその生涯について書かれた四〇〇ページもある分厚い本をじっくりと読み込んだ。結局のところ現代美術の巨匠が生涯をかけて見せようとしたものはなんだったのか。それを自分なりに考え続けた。


そうして、途中のある一文に目が止まった。

それは、不老不死の薬を開発しようとしたひとにも、キリストにも、宇宙の星にも抗《あらが》えないあれだったのではないか——。

生まれてこのかた目が見えるわたしたちが、どんなに切望しても見えないもの。見えない、でも、わたしたちの体の中に等しく流れ続けるもの——。


「人間は多くのものと闘えるけれど、時を相手には闘えない」（クリスチャン・ボルタンスキー）

参考文献
湯沢英彦『クリスチャン・ボルタンスキー　死者のモニュメント 増補新版』水声社
山田由佳子〔他〕編『クリスチャン・ボルタンスキー　Lifetime』水声社

第4章

ビルと飛行機、どこでもない風景

フェリックス・ゴンザレス=トレス《無題（偽薬）》、大竹伸朗《8月、荷李活道》《エリックサティ、香港》《ビルと飛行機、N.Y.1》《ビルと飛行機、N.Y.2》

ここのところわたしは、ひとりで美術館やギャラリーに行くと、バーチャル・白鳥さんを想像するようになっていた。そこに「白鳥さんがいる」と想定するだけで、ひとりのときよりだいぶ丁寧に作品を観察し、深く考えられるような気がした。わたしが逆の立場だったらストーカーみたいで気味が悪いので、白鳥さんには黙っておいた。

そんな八月の夏真っ盛り、再びリアルな白鳥さんと水戸芸術館に行くことになった。水戸芸術館は、マイティと白鳥さんのホームグラウンドだから、いずれはみんなで行くことになるんだろうなと思っていたけれど、その機会は意外と早くやってきた。わたしが筑波大学で講演をすることになり、マイティと白鳥さんが応援がてら聞きにきてくれるというのだ。せっかく茨城県まで足を延ばすのならば、「翌日はうち（水戸芸術館）で展示を見ようよ」というマイティのラブコールに応えることになった。

架空の風景に紛れ込む

開催中の展覧会は「大竹伸朗　ビル景 1978-2019」である。日本を代表する美術家である大竹伸《しん》朗《ろう》（一九五五〜）が描きためた作品の中から、「ビル」をテーマにした作品を一堂に集めたもの。展示される作品数はなんと六〇〇〇点以上！　香港、ロンドン、東京といった様々な都市がミックスされた架空の風景だという。

今回は、旧友で文筆家の佐久間裕美子さんを誘った。彼女は普段ニューヨークに住んでいるのだが、ちょうどこのとき帰国中で、大竹伸朗展のことを話すと、「えー、行きたい、大竹伸朗さんの展示って行けたことがないんだよね、『カスバの女』とか好きだったな」と言うので、決まりだった。一〇代のころからの友人なので、わたしは彼女を「ゆみ」と呼び、彼女はわたしを「あっちゃん」と呼ぶ。

当日、ゆみはヘッドホンを首からかけて、TシャツにGジャンをひっかけて美術館ロビーに現れた。ひとなつこい笑顔を浮かべて「あっちゃん！　遅れちゃってごめんね〜、駅に着いたら朝からなにも食べてないって気がついて、急いで食べてきた！」

声がガラガラしていつもより低い。「昨日飲みすぎて、あああ、二日酔い」と言う。このひとが纏《まと》う空気は日本のものではないなと思った。

ゆみと出会ったのは高校時代で、わたしが付き合っていたひととゆみが同じ予備校に通っていて、みんなで遊んでいるうちに仲良くなった。ゆみいわく「お互いにクソガキだった」ころだ。

クソガキはふたりとも日本が合わないと感じていたのか。大学を卒業すると同時にアメリカに渡り、わたしはワシントンD.C.、ゆみはコネチカット州の大学院に入学した。ゆみはどうだったか知らないけど、少なくともわたしは周囲の学生の優秀さに完膚《かんぷ》なきまでに打ちのめされながら、ギリギリの成績で卒業し、前述したようにそのままワシントンD.C.のコンサルティング会社に就職した。同じころ、ゆみは何度か転職し、ニューヨークのロイター通信で働いていた。わたしは六年でアメリカを出たが、ゆみはフリーの物書きとして独立し、いまもニューヨークに住んでいる。最近のゆみは、目まぐるしくニューヨークと東京、それに加え沖縄やバンコクなんかを行き来していて、旅と日常、仕事と遊びをごちゃ混ぜにしたような生活を送っていた。

今日の白鳥さんのアテンドは、ゆみに全面的に任せることにした。白鳥さんはゆみの左肘に軽く触れながら半歩後ろを歩き始めた。

「こうすると、白鳥さんは腕から伝わる感覚を通じて、段差とか進む方角がわかるんだよ」と、自分も半年前に知ったばかりのことを偉そうに伝えた。

「え、それでなんだっけ。作品の説明をするんだっけ」

「まあ、そんな感じ」

「わたし、けっこうボキャブラリー少ないんだけど、大丈夫かな?」

「大丈夫だよ。白鳥さんは作品の正しい解説とかは求めてないし」

もちろん視覚障害者といっても色々で、中には解説や正確な描写を求めるひともいる。一般的な美術ファンの中にもオーディオガイドを聞きながら見るひともいれば、ひたすら己の感覚だけで見ることを好むひとがいるのと同じだ。そういえば、白鳥さんはオーディオガイドを聞かない。試したこともあるようだが、楽しめなかったらしい。彼が求めているものは、音楽にたとえれば、CDではなく生演奏、それも即興のジャズだった。

平日の昼間の展示室はガランとしていた。美術館全体がわたしたちの遊び場になったみたいでうきうきする。

最初の展示室には大型の油絵がいくつもあった。何度も、何度も色を塗り重ねられ、色が混じり合っている。「ビル景」というだけあり、どれもビルのある風景だった。それが夢の中のように大きくデフォルメされ、見たことがないような――それでいてどこにでもあるような都会の風景を作り上げる。そんな風景がもう山脈のように延々と連なっていた。

重力がすごいな。この先、六〇〇点もこれが続くのか、ひゃあ、と思った。

「じゃあ、佐久間さん、気になる作品を選んでください」

白鳥さんが言う。ゆみは周囲をぐるりと見回しながら、「ビルの風景が多いんだねぇ」とふわっと眠そうな口調で言った。

「いや、全部がビルなんだよ。展示タイトルも『ビル景』でしょ」

「あ、ほんとだ。全部ビルなのね。びっくり！　そっか、『ビル景』か！　一番大切なところが抜け落ちてた！」

爆笑が起こり、作品の重力を蹴散らすように空気が軽くなった。ほんと、ゆみのようなひとをムードメーカーというんだろうな。

黒人なのか、白人なのか

油絵や大型のインスタレーション作品を通り過ぎると、アメリカンコミックスやチラシなどがコラージュ（バラバラの素材を切り貼りする技法）された小作品のセクションにたどり着いた。どの作品も一見しただけではテーマもモチーフもまったくわからない。これは説明が難しいぞと思った。

有緒　コラージュだね。
ゆみ　うん。

大竹伸朗がコラージュを始めたのは、小学生のころだった。学級新聞を作るために配られた模造紙を自宅で見ているうちに、学級新聞のことはすっかり忘れ、模造紙を何枚もつなげ、等身大の「デカいポパイ」を描いた。

こうして予想を超えたデカいポパイ像が完成した。こんなポパイは見たことがなかった。先ほどまでの「ヤッタゾ！」の気持ちを明らかに超えていた。経験したことのない気持ちが込み上げた。（大竹伸朗『見えない音、聴こえない絵』）

すると今度はポパイの周辺にある余白が気になり、ポパイを切り抜くことにした。そのときに感じた清々しい快感が出発点となり、大竹はそのあとも色々なものを「切ったり貼ったり」してきた。コラージュは感覚的な作業で、言うなれば「つぎはぎ」なので、その意図を見出すことは簡単ではないし、もしかしたら理路整然とした意味なんかないのかもしれなかった。

それでもわたしたちは、砂浜の漂流物を拾い集めるかのように話を始めた。選んだのは、小作品で《8月、荷李活道》（一九八〇年）である。

大竹伸朗 《8月、荷李活道》(1980年) 16.8 x 12 ㎝

ゆみ　スーツを着ている男のひとがいて、顔をハンカチで拭いているみたい。右手でお盆を持ってるの。背景にはたくさんテープが貼ってあって。

有緒　いろんなものが何層も重なり合っている感じ。だからかもしれないけど、街を描いたものに感じるね。ざわざわした街。ニューヨークじゃない？　ノイズが多くて、色とか音とか、街のざわつきが表現されているような。

ゆみ　うん、そうだね。ニューヨークかもしれない。色々重なっている感じがニューヨークっぽいね。

二五年もニューヨークに住むひとが「ニューヨーク」と言うのだから間違いないだろうと確信したその直後、パンフレットを見たゆみが、「あれ、どうも香港みたいだよ」と言い出した。「香港？　あれ、そうなの？」と白鳥さんは面白がる。

「この男性のせいでニューヨークに見えちゃったのかも。ほら、スーツを着ていて、ウォール街にいるビジネスマンみたいじゃない」

そうわたしが言うと、しばし傍観していたマイティがいきなり会話に割って入ってきた。

「ちょっと待って、これって子どもがアイスクリーム食べてるんじゃないの？」

そのひとことで、会話はカオスになった。

有緒　子ども？　どう見てもスーツのおじさんだよ。ほら見て、これ帽子じゃない？

マイティ　いや、ちょっと離れて見てみて。やっぱり子どもだよ。それに黒人じゃなくて、白人だよ。

ゆみ　え、白人に見えるって⁉　黒人だよー。っていうか、アイスクリームってなんのこと？　わたしにはどう見てもハンカチで顔を拭いているようにしか見えないけど。あれ……？　でも、確かに遠くから見ると子どもに見えてきた。いや、二〇歳くらいかな。でもやっぱり黒人にしか見えないな。

マイティ　それよりニューヨークとか「街」とかって、どういうこと？　わたしには店舗にしか見えない。これはアイスクリーム屋さんの店舗だよ！

有緒　アイスクリームって、マイティがいま食べたいものじゃないの？

白鳥さんは、場が混乱すればするほど「へえ！　そうなの。面白いね！　ハハハ」と笑い声をあげた。そして結論は特に出ないまま、また次の展示室に移動した。

「白鳥さん、いまどこにいるかわかる？」とわたしが聞くと、当たり前じゃん、という口調で「もちろん、第三室に入るところでしょ」と答えた。数えきれないほど水戸芸術館を訪れてきた白鳥さんにとっては、ここは散歩のルートのようなもの。だから今日に限っては、いま自分たちがどういう空間にいるのかという説明はいらなかった。

外国のキャンディの味

白鳥さんが現代美術の面白さに開眼したのが、この水戸芸術館である。それどころか白鳥さんと水戸芸術館は、あの「美術館のマッサージ屋」からもわかる通り、切っても切れない深い縁で結ばれている。話は逸《そ》れてしまうが、ここらへんで、両者がどんな風に出会い、関係を深めていったか

フェリックス・ゴンザレス＝トレス　（手前）《無題（偽薬）》（1991年）／（奥）《無題（化学療法）》（1991年）

を振り返りたい。

遡ること約二〇年、一九九七年の春の日に水戸芸術館にかかってきた一本の電話がすべての始まりだった。電話の主は、「白鳥建二と申します」と名乗った。

ダ・ヴィンチと出会い大学生生活を終えたあと、白鳥さんは愛知から千葉の流山《ながれやま》に転居したが、新たな美術館の開拓は続けていた。そして知人に勧められたのが水戸芸術館だった。

いつものように、「全盲だけど展覧会が見たい、誰かに案内をお願いしたい」とリクエストすると、すんなりと受け入れられ、白鳥さんは展覧会「水戸アニュアル'97　しなやかな共生」を見るために水戸までやってきた。

このとき、初めて現代美術に触れた白鳥さんは、作品と鑑賞者の距離の近さに驚かされた。特に印象に残ったのは、キューバ出身の現代美術家、フェリックス・ゴンザレス＝トレス（一九五七〜九六）の作品である。展示室の中央には、無数の銀色の包み紙のキャンディが敷き詰められていた。

「このキャンディは食べられますよと聞いたので、拾って口に入れてみました。フルーツ味だったと思うんだけど、すごく甘くて、いかにも外国のキャンディという味。キャンディを食べるというその意味まではよくわからなかったんだけど、作品が向こうから語りかけてくる感じが面白かった」

それまで白鳥さんが見てきた作品は名画が中心で、「触らない」ことが当たり前だった。しかし、ゴンザレス＝トレスの作品は見るひとが作品の一部をポケットに入れたり、食べてしまうことを前提としていた。面白いな、これもアートなのかと心を動かされ、それからは現代美術作品を積極的に見るようになった。

二度目に白鳥さんが水戸芸術館に来たときに開催中だったのは、蛍光灯を仕込んだライトボックスと写真を使った作品で知られるカナダのアーティスト、ジェフ・ウォール（一九四六～）の展覧会。その日アテンドを担当したのは、教育プログラム担当をしていた森山純子さんだった。上司（その後、横浜美術館館長を経て現在国立新美術館館長の逢坂恵理子さん）から「全盲のひとが展示を見に来るので、展覧会を一緒にまわってほしい」と頼まれたという。

え？　全盲のひとが美術館に？　と森山さんは驚いた。もともと盲学校の近くで育った森山さんは、白杖を使って街を歩くひとを多く見てきたが、全盲のひとが美術鑑賞するという姿はとうてい想像できなかった。現れたのは、物静かな雰囲気の男性だった。

森山さんは、どんな風に話をしたらよいかと迷いながら、逢坂さんと三人で作品を見てまわった。特になんの問題もなく、楽しく鑑賞タイムは終わったという。しかし、森山さんの中にはモヤモヤした感情が残った。「あんな感じでよかったのだろうか。本当はなにを話すべきだったのだろう？　色や形？　作品の背景？　印象？」　そんなモヤモヤは、熾火《おきび》のようにくすぶり続けた。

「モヤモヤといっても、それは豊かな時間でした。何度も白鳥さんとの時間を思い返しては、美術鑑賞とはなにか、障害とはなにかなどを考える種となっていました」

その一年後のことだ。森山さんはふと目にした展覧会のチラシに気になる情報を見つけた。「目の見えない人と観るためのワークショップ——ふたりでみてはじめてわかること」とある。それは、NPO、日本障害者芸術文化協会（現在のエイブル・アート・ジャパン）が企画した「このアートでげんきになる　エイブル・アート'99」（東京都美術館）の関連プログラムだった。

——もしかしたら、自分の中のモヤモヤを理解するヒントになるかもしれない。森山さんは参加を申し込んだ。

そのワークショップのナビゲーターとして参加していたのが、偶然にも白鳥さんだった。白鳥さんは、すぐに森山さんのことを声で認識し「あー、森山さんじゃないですか！」と声をかけた。思いがけない再会にふたりは喜んだ。

会期中に3回開かれたワークショップは反響を呼び「視覚に障害がある人の美術鑑賞、すなわち、さわって鑑賞すること」という既成概念を大きく変えるきっかけとなった。また、さわることのできない平面作品を言葉で鑑賞することに大いなる可能性があることを多くの人が発見し実感した。

見える人たちも、一人で見る時とは異なった感覚で作品に向き合うことになり、作品からさまざまなことを発見して感動することが多く、何度も「目からウロコが落ちる」経験をした。

（『百聞は一見をしのぐ⁉　視覚に障害のある人との言葉による美術鑑賞ハンドブック』）

この鑑賞ワークショップは、白鳥さんの個人的な活動にすぎなかった「見えるひとと見えないひとの鑑賞」が、確かな輪郭を持って社会に出ていった記念すべき日となった。この少し前に日本障害者芸術文化協会の関係者と知り合っていた白鳥さんは、このワークショップのナビゲーターになることを承諾した。最初はあまり気がすすまなかったが、とにかく勇気を出して人前に立ち、初めて自身の体験や思いを言葉にした。

「人前で話すのは苦手だったから気がすすまなかったんだけど、周囲の勧めもあり自分の体験を話しました。でも、その日の様子に関してはあまり覚えてない。俺もかなり緊張していて！」

「このときには、美術鑑賞を仕事やライフワークにするつもりはあったの？」とわたしは訊ねた。

「いや、全然。ただ、自分が個人としてなにが楽しめてなにが楽しめないのか、そういうところから知りたかっただけで」

ワークショップには、参加者とナビゲーターが鑑賞体験について振り返る時間があり、その中で「色について話してもいいのか？」など参加者からたくさんの質問が出た。そのやりとりを聞きながら、森山さんはこの見えないひととの鑑賞は、美術鑑賞とはなにか、そして障害や他者とのコミュニケーションについて考える貴重な体験になる、という確信を持った。そこで、ワークショップが終わると、「うちのボランティアスタッフの研修に来てもらえませんか」と白鳥さんに声をかけた。

特筆すべきは、その目的である。

「それは、見えるひとと見えないひととの差異を縮めることではありませんでした。むしろ視覚障害者の方々と一緒に見ることで、美術館や学芸員、そして鑑賞者のわたしたちのほうも得るものがあると感じました。作品の見方というのはとてもパーソナルなもので、見えているひと同士でも必ずしも一致しないものです。障害の有無は関係なく、その認識のズレを対話することで埋めることができるのではと思いました」

それは、助ける、助けられるという関係が反転するような新たな発想だった。

森山さんが、迷いなく前例のない行動に出られたことには、ひとつの背景がある。それ以前から水戸芸術館では、来館者に向けて対話型鑑賞ツアーを行っていて、その担い手となる市民ボランティアの育成に力を入れていた。前述の森山さんの上司、逢坂恵理子さんは、ニューヨーク近代美術館（ＭｏＭＡ）が提唱する対話型鑑賞のメソッドを日本に紹介したひとりで、ＭｏＭＡの教育部のスタッフを水戸に招き、全国の学芸員に向けた研修を実施したことがあった。当然のことながら、森山さんもその研修を受けていた。

「驚いたのは、白鳥さんが自然に行っていた鑑賞方法がそのＭｏＭＡのメソッドと酷似していたことでした。作品の簡単な描写の積み重ねから鑑賞に入っていくこと。参加者による解釈や意見をひとつにまとめることはせず、答えが出ないもの、矛盾があるものについても、その場でシェアしつつも、無理に答えをひとつに統一しないという自由な鑑賞スタイルであることです」

このようにして水戸芸術館と白鳥さんはドラマチックな再会を遂げた。白鳥さんはそれから年に一、二度のペースで、ボランティアや博物館実習生の研修を担当するようになった。それと前後して、一九九九年には白鳥さんは、ある女性と結婚し千葉県松戸市に転居。やがて子どもも生まれ、新たなライフステージが始まった。

また、前述のワークショップ「ふたりでみてはじめてわかること」の参加者の間では、見えるひとと見えないひとが一緒に鑑賞する活動をもっと続けたいという声があがり、二〇〇〇年には「ミュージアム・アクセス・グループＭＡＲ」（以下ＭＡＲ）が発足した。ＭＡＲ（発音上は「マー」）は、Museum Approach and Releasing の略で、白鳥さんの「美術館という空間で作品の前でなければ味わえないことがある」という言葉をもとに、市民と美術館との新しい関係を作り、「誰のものでもある美術館をもっと楽しもう」という思いを込めてつけられた。白鳥さんたちＭＡＲのメンバーは、水戸芸術館を含め、日本各地の美術館を訪れ、精力的に鑑賞を続けた。

こうして水戸芸術館と白鳥さんの縁はますます深まっていった。

さらに二〇〇六年、水戸芸術館では、現代美術家や漫画家、アクティビスト、障害を持ちながら制作する作家など多様な人々が参加する「ライフ展」が開催された。その関連で、白鳥さんがナビゲーターを務める視覚に障害があるひととの鑑賞ツアーが企画され、ツアーの門戸は初めて一般の人々にも開かれた。ツアーには、視覚に障害があるひと、ないひとを含め二〇人ほどが参加した。

二〇一〇年にはツアーの名称を「視覚に障害がある人との鑑賞ツアー『セッション！』」と変え、現在まで年一～二度のペースで続いている。そういうわけで白鳥さんは、水戸芸術館の展示はほとんど見ているし、美術館でマッサージ屋を開くほどの縁があるのだ。

さきほど、白鳥さんは、結婚し、千葉県に住んでいたと書いたのだが、その後の二〇年余りの間に多くの身辺の変化があった。二〇〇六年には、七年間の結婚生活に終止符を打ち、栃木県の那須に転居した。離婚の原因については、「九割自分のせいだと思う」と語るだけなので詳しくはわたしもわからない。ただ白鳥さんにとって、人生で最も辛い時期だったと言う。

那須には知り合いもいなかったが、住み込みで働けるという理由だけでその仕事を選んだ。仕事内容は、温泉街の旅館やホテルの部屋に呼ばれて出張マッサージをするもの。

「マッサージ屋の寮みたいな部屋に住んでました。ほかにも盲人のマッサージ師がいて。四畳半の部屋だったから、それまで集めてきたCDとかもほとんど処分しないといけなくて、暇なときは知恵の輪とかで時間を潰したりして」

那須の冬は寒く雪も多く降る。交通手段も限られ、坂道が多いからひとりで大変じゃなかっただろうか。

「うん、あのへんは移動手段がクルマだからほとんど動けなくて。だから二、三カ月休みなく働いて、ああ、そろそろシャバの空気が吸いたいなと思うと、水戸に行って二泊くらいしながら水戸芸術館に行ったり、飲みにいったりしてた」

そうして二年半にわたり出張マッサージ師として働きながら、水戸に通い続けるうちに、知り合いや飲み仲間がぐっと増えた。特に、水戸芸術館近くの理髪店に散髪に通ううちに、そこの店員と親しい飲み仲間になった。やがて白鳥さんは、二〇〇八年秋には水戸に転居することを決め、その理髪店の一階に「しらとりマッサージ」店を開業した。

そのマッサージ店は、市街地再開発により二〇一九年に閉店したことは、書いた通りである。現在、白鳥さんは再婚し、妻・ゆうこさんと一緒に水戸市内で暮らしているのだが、それについてはまたのちほど触れたい。

色々なことがありながらも、白鳥さんの傍にはいつも美術館があり、美術鑑賞があった。

それはツインタワーなのか？

脇道がずいぶん長くなってしまったが、話を再び「ビル景」に戻そう。

展示作品は、絵画だけではなく立体作品もあり、圧倒的な物量と質感で迫ってきた。大竹伸朗は、きっと都市の路地や仄暗《ほのぐら》い隙間をたくさん歩きまわりながら、その内側まで覗《のぞ》いてきたに違いない。そして都市が持つ雑多な風景の記憶を手がかりに、イマジネーションの力で別の世界に飛び込み、「描く」という肉体的衝動とともに作品に昇華させる。その力強い作品が織りなす世界を歩くと、行ったこともない都市の湿気やむせるような匂いまで感じるようだった。旅を日常にするゆみが大竹伸朗の作品を好む意味がわかる気がした。

次にわたしたちの注意を引いたのは、ビルと飛行機が描かれた小作品だった。

大竹伸朗《エリック・サティ、香港》
（1979年）26 × 18.7㎝

「これ、ニューヨークかもしれないね……」

わたしは反射的に口に出した。作品は、ふたつの高いビルに飛行機が突入していくような構図だった。

「え、もしかして、ツインタワー？」

ゆみは、間が抜けた声を出した。わたしの脳裏に浮かんでいたのは、二〇〇一年に起こった同時多発テロ「9・11」だった。

ゆみは展覧会パンフレットをさっと取り出し、作品タイトルを確認した。そこには《エリックサティ、香港》（一九七九年）とあった。

「香港みたいだよ」

「なあんだ、香港か！」

「うん、うん」

わたしたちの間に安堵《あんど》したような空気が流れた。「昔の香港の空港は着陸するときにはビルの間に飛行機が入っていくみたいだったって聞くよね」「たしかにー」と口々に言い合った。

「香港は好き？」とわたしが尋ねると「うん、何度も行ったことがあるよ。好きな街だな。どうしてかわからないけど、昔から混沌《こんとん》とした都会に惹かれるんだよね」とゆみは話し続けた。

ふたつ並んだ高層ビルと飛行機を見て、反射的に「9・11」を思い浮かべたのは、おそらく偶然ではない。二〇〇一年九月一一日、ゆみはニューヨークに、わたしはワシントンD.C.に住んでいた。どちらも同時多発テロのターゲットになった街である。

作品を見るひとは、脳内にストックされた思い出や経験とともに作品を見ていることは前に書いた。だから、なにかを感じとり、意味を探すのは鑑賞者のほうで、そこには、自分の価値観や経験が色濃く浮かび上がる。アートを見る面白さとは、まさにそこにある。多様な解釈を許す作品、その懐の深さが、時代とひとを鏡のように映し出すのだ。

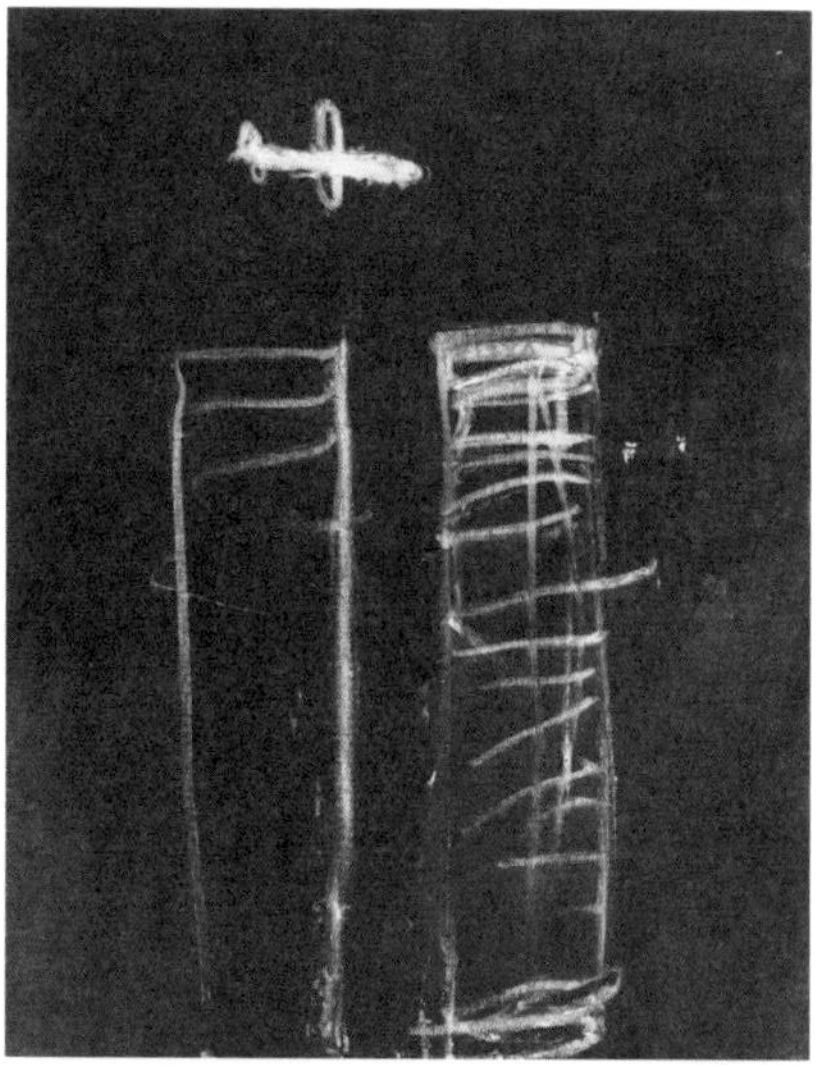

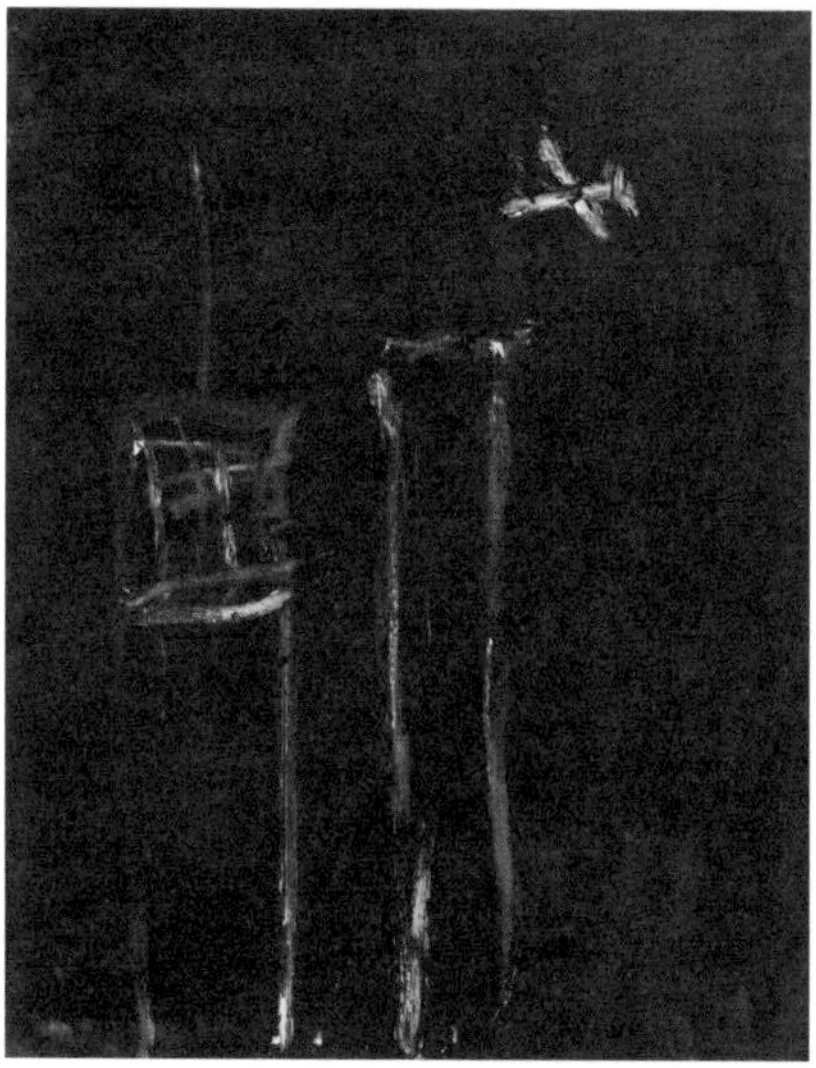

（上）大竹伸朗《ビルと飛行機、N.Y. 1》
（2001年）91.0 × 72.7cm
（下）大竹伸朗《ビルと飛行機、N.Y. 2》
（2001年）91 × 72.2cm

次から次へと「ビル」が現れた。ビルを遠景から捉えたものもあれば、室内の風景、ぐしゃぐしゃと力強く塗りつぶされてビルの残像を感じさせるだけのものもあった。

ん？

新たな展示室に入ると、再びビルと飛行機をモチーフとする二枚の作品が現れた。どちらも濃紺ののっぺりとした空を背景に、白い線でさっと描かれたビルが二棟。ビルはどことなく頼りなげに立っていて、その真上を白い飛行機が飛んでいる。

これもまた香港？

パンフレットを確認すると、タイトルは《ビルと飛行機、N.Y. 1》、《ビルと飛行機、N.Y. 2》とある。

今度は間違いなくニューヨークだった。制作年は二〇〇一年一二月。

「ニューヨークだね」

「そうだね」

「二〇〇一年か」

「うん」

そう言ったあと、わたしとゆみは押し黙った。

ようやくわたしの口から出てきた言葉は「あの日って、なにしてた？」というものだった。

「ちょうど、新婚旅行から戻ってきた翌日だったよ。あっちゃんは？」

「わたしは恋人と大げんかをしている真っ最中だった」

9・11のその朝、わたしはワシントンD.C.にある自分のアパートにいて、狭いベッドで恋人と背を向け合って寝ていた。前日、お互いを言葉のナイフで刺し合うような言い合いをしたばかりだった。ふたりとも致命傷を負った動物のように起き上がることすらできず、もう別れるしかない、という悲しみと怒りで水際まで追い詰められていた。そんな朝に限って、彼の携帯電話がしつこく鳴っていた。彼は、ダルそうにベッドから起き上がり、電話に手を伸ばした。そして「えっ」と小さく叫びながら、あわててテレビをつけた。

ツインタワーの一部から煙が上がり空にたなびいていた。

「火事？」

「いや、事故らしい」

そのうちに小さな影がビルに近づき、まっすぐにビルに吸い込まれていく映像が画面に映った。ただぼうっとそれを見ていた。

人間は異なる種類の悲しみをいっぺんに抱えることはできないのかもしれない。さっきまでの怒りの感情は別次元の恐怖や悲しみに支配され、わたしたちはただ無言でお互いにしがみついた。結局、彼とは一カ月後には完全に別れることになるのだが、あの瞬間は自分たちの諍《いさか》いのすべてが部屋の隅に溜まった埃《ほこり》のように感じ、ただ寄り添った。

一方のゆみは、前述の通り、新婚旅行から戻ってきたばかりだった。仕事に戻る日、起きたときには一機目の飛行機がツインタワーに突っ込んでいた。

「出社しようにも交通も止まってて、とりあえずは自宅待機になったからずっとテレビを見てて、そのうちに（ワールドトレードセンターが）崩れて。しばらく呆然《ぼうぜん》としてからハッとして、そういえばあそこで働いている友だちがいる！　ってなって。電話を何度もリダイヤル、リダイヤル、リダイヤルとかしたんだけど、全然通じない。通じると思ってたわたしもバカだよね。だってビル自体がさ、もうビル自体もなくなってるんだから」

気がつけばあれから一八年。「あの日」についてわたしたちが語り合ったのは、このときが初めてだった。

白鳥さんは、そんなわたしたちを静かに見守っていた。正直に言えば、この瞬間は白鳥さんの存在はすっかり頭から消えていた。だから彼がどんなリアクションをしていたのかは覚えていない。それくらいこの作品が与える印象は強烈だった。

それにしても、ビルと飛行機、N.Y.。

この作品は本当に9・11と関係あるのか。もしかしたら、ただの偶然でまたわたしたちがあれやこれやと勝手に結びつけている可能性も大いにある。

作品はただ静かに佇みながら、見るものに問いかける。

――あなたは、この世界をどう見ていますか――

その後も、いくつかの作品を前に、わたしたちは、たびたび「これって、なんだろう」と言葉に詰まった。そんなとき、白鳥さんはゆっくりと次の言葉を待っていた。彼はその言葉にならない「間」すらも愛する。思わず漏れ出す「ああ……」というため息の中にも様々な思いが流れ、その即興の音色を楽しんでいる。

ひととひとが出会って紡ぐ、その生まれては消える音色を――。

ムラムラするとき

「普段の自分がいかにちゃんと作品を見ていないかを思い知らされたよ。楽しかったあ！」

美術館をあとにしながら、ゆみは笑みで顔をくしゃくしゃにした。六〇〇点もの作品の渦に放り込まれて体はクタクタだったけど、まだ帰りたくない気分で、夕方から開いている居酒屋を探し、マイティと白鳥さんと四人で中ジョッキを頼んだ。

「乾杯！」

いまさらながら、白鳥さんたちにゆみのことをちゃんと紹介してなかったなと反省し、「ゆみは、四六歳の誕生日をストリップバーで迎えた女なんだよ！」と紹介した。ゆみはいまニューヨークをベースにエッセイやノンフィクションを書き、人気のポッドキャストなんかもやっている。そういうオフィシャルなプロフィールをすべてすっ飛ばして出てきたのが「ストリップバーで誕生日」だったが、彼女は意気揚々と「そう。友だちがストリップバー始めたのね、渋谷で！」と語り始めた。

白鳥　へえ！

ゆみ　誕生日の日はずっと仕事で、しかも大雨だったし、なんかもう疲れたからこのまま帰るかという気分だったんだけど、そのストリップバーをやってる友だちが普通のバーもやっていて、とりあえずそこに行ったの。そうしたら、アメリカ人の友だちがそこに来ていて、ストリップバーに行こうという話になって。まあわたしも誕生日だし、景気がよさそうだなと行ったらね、店の前にエグいマセラティが停まってて。それで、中に入ったら「大富豪が来ていて女の子たち全員取られてますけど、いいですか」って。なんか店の中は大変なことになってた。

有緒　大富豪！　おーい、ドンペリ持ってこいみたいな感じ？

ゆみ　そう。でも、わたしには誕生日っていう黄門が……、黄門じゃないや、なんていうんだっけ？　あれ、水戸黄門さまが持ってるやつ。

白鳥　ん？　印籠《いんろう》？

ゆみ　ああ、そう、印籠だ。わたしには印籠があるから、女の子たちが三人くらいこちらの席にも来てくれて。

白鳥　面白い！

ゆみ　そのバーは外国人とかミックスの女の子たちが中心なんだけど、ほかのストリップバーとはちょっと違うの。なんか東京だと、白人とのミックスじゃないとなかなか採用されない、みたいなのがあるんだって。でも、日本にはブラジル系とかパキスタン系の子とかがいっぱいいて、そういう子たちはなかなか夜の勤め先がないんだって。でもその店は、女の子たちも多様だし、個性派の面白い女の子たちがいっぱいで、もう最高なの。

白鳥　最高なんだ（笑）。

ゆみ　うん！

ゆみは、どういうときやどういうひとに自分がグッとくるのか、という話を続けた。白鳥さんとマイティもすっかり話に引き込まれ、爆笑が続いた。そして話がどんどんエロい方向に転がってきたのをいいことに、白鳥さんに前から気になっていたことを聞いた。

有緒　白鳥さんは、どういうときムラムラするの？　美人とかおしゃれだな、とか視覚情報がないとなると、なにがポイントになるんだろ。

ゆみ　お、いきなり核心に。

白鳥　俺ねえ、二〇代とかのときは、匂いがけっこう来てたよね。

有緒　ああ、匂いね。

ゆみ　匂い大切！

有緒　ああ、なんかこのひといい香りするなあとか。

白鳥　そうそう。でね、ここ数年ね、たぶん四〇代になってからかなあ、なんか匂いに反応しないような気がするの。最近。どうしたことかと思って（笑）。

ゆみ　どうしてですかね。声とかは？

白鳥　声はあるよ。好きなタイプの声とか。見た目とおんなじで、声でドキッとするっていうのもあるよ。

有緒　どういう声のひとが好き？

白鳥　うまく言えないけど、ソフトな声のひとだと思う。例えば、（ボルタンスキー展に一緒に行った）眞由美さんの声はすごくよかった。声の出し方とかも力が抜けた感じで。だから、俺の場合は、見た目じゃなくて「声」で騙《だま》される。でも、それって、見た目で騙されるのとあんまり変わらないんじゃないかな。

有緒　でも、声のほうが、見た目より本質を表す気がしない？　だって体の内側から発するものだから。そうだ！　白鳥さんは、奥さんとすごいラブラブなんだよね。

ゆみ　へえ〜！

白鳥さんと妻のゆうこさんは、水戸市内で開催された「白鳥マラソン」という白鳥さんが主催したイベントで出会った。マラソン、とはいえ、別に走るわけでもなんでもなく、とにかく一日中マラソンのように同じ店で酒を飲み続ける、というやたらストイックなイベントだ。会場は、白鳥さんがよく通っていたカフェ・レストランの trattoria Blackbird（トラットリア　ブラックバード）。「そのお店のひとたちとは開店直後から仲良くしていて、自分のマッサージ屋さんの一周年記念をそこでやることになって。俺が普段撮ってる写真もプロジェクターで映したりして」

朝から晩までひとが出たり入ったりの賑《にぎ》やかなイベントで、友人はもとより、知らないひとも大勢やってきた。そして、夜遅くなってから現れたのが、ゆうこさんだった。

有緒 第一印象はどんな感じ?

白鳥 それが俺は全然覚えてないんだよね。酔っ払ってたから。なにしろ俺は朝八時から飲んでて、ゆうこさんが来たのは夜九時ごろだった。でも、数日後に同じ店の立ち飲みコーナーで飲んでいたら、ゆうこさんに話しかけられて、あ、あのときのって。

有緒 それで出会ってすぐ結婚に至ったんだよね。

白鳥 そうそうそう。

ゆみ すごい。

有緒 結婚式はした?

白鳥 やってないね。ほら、付き合うとかいう話の前に、一緒に住むことが決まっちゃったから。

ゆみ え、どうして⁉ なぜ? どうしてそうなる⁇

白鳥 そこが自分たちにもよくわかんないんだけど、会って話したら、話がすごい通じやすくって。気がついたら、俺たちってホールのケーキみたいにふたりでいるのが完全な形だね、というのが共通理解になった。一緒にいるのが通常パターンならもう一緒に住もうか、みたいな。出会って二週間くらいかな。ゆうこさんとお母さんが一緒に住むことになっていたので、その家に俺も交ぜてくださいって、そこに引っ越した。

ゆみ　すごーい！

有緒　そりゃあ、ゆうこさんのお母さんも驚いたんじゃない？　だって、二週間前まで影もカタチもない男が突如出現して、全盲で、結婚するって、けっこうな三連発だよね。

白鳥　あとで話に聞いたところによると、友だちが多いひとだったらいいんじゃないって？　俺は、知り合いは多かったから。

マイティ　その判断ってすごいね。普通なら仕事とか収入どうなのって聞くけど、友だちが多いならいいんじゃないって、それ、いいなあ！

なにが見えましたか

わたしは、展覧会のあとのアフタートークが鑑賞タイムと同じくらいか、それ以上に好きだった。若いころは、映画を見たあとに喫茶店に入って、さんざん語り合ったものだが、あのころの感覚に戻った気がする。

「セッション！」などのワークショップでも鑑賞のあとに「振り返り」の時間があり、白鳥さんが参加者の質問に答え、感想を共有する。そのとき、白鳥さんは参加者からたびたび同じ質問を投げかけられる。

それは、「ちゃんと伝わりましたか」「白鳥さんには、どんなものが『見え』ましたか」というものだ。

「見えるひと」の視点では、ごく当たり前にも感じる質問だが、白鳥さんはそれを聞かれるたびに、うーん、なんかちょっと違うんだよな……と複雑な気分になるという。わたしもボルタンスキー展のあとに「頭の中になにかイメージのようなものができるのか」と質問したので、もしかしたらあのときも複雑な気分にさせてしまったかもしれない。だからといって、遠慮して気になることを聞かずに我慢するのも気持ちが悪い。だから、結局はお互いに話すことで理解を深めていくことしかできないんだけど。

「中途失明ならば、頭の中で具体的な画像を作れるひともいるので、『これくらい伝わっていますよ』って言えると思う。でも、俺には視覚の記憶がほとんどないから、なんとなくのイメージが浮かぶだけ。それは絵になったり、なってなかったり。だから、質問されれば『伝わってますよ』って答えるけど、ポイントはそこじゃない」

「伝言ゲームみたいに、正解率が何パーセントというものではないんだね」

「うん、正解率を求めると、結局は〝視覚の記憶〟がどれくらい使えるのかということになってしまうし、自分には全然面白くない」

そこは、わたしも白鳥さんと一緒に見るという経験を重ねてようやくわかってきたことで、実はとても重要なポイントだった。

ひとつの問題は、目が見える人々が、視覚障害者を「目が見えないひと」という大きなカテゴリーでまとめてしまうことだろう。視覚障害といっても、先天的に見えないひとと、ある程度成長したあとに失明したひととでは、まったく違う経験をしているので、脳内にストックされた情報量や内容が異なる。だから、ものを見た経験が極度に少ない白鳥さんが「見える」世界は、晴眼者、そして中途失明した人々と同じではない。言い換えれば、いまわたしが目の前で見ているコップを同様の大きさ、色、形で白鳥さんが頭の中で再現することはない。彼はまったく別の想像力でそれを「見て」いる。そして裏を返せば、「見えるひと」もまた彼が「見て」いるものを想像することもできない。

水戸芸術館で鑑賞ワークショップを企画した森山さんの言葉をいま一度思い出したい。ワークショップの目的は、「見えるひとと見えないひとの差異を縮めることではなかった」と言ったのだが、まさにそこだった。見えないひとと見えるひとが一緒になって作品を見ることのゴールは、作品イメージをシンクロナイズさせることではない。生きた言葉を足がかりにしながら、見えるもの、見えないもの、わかること、わからないこと、そのすべてをひっくるめて「対話」という旅路を共有することだ。

感想や解釈が同じではないからといって、相手が間違っているわけではない。むしろ違いがあるからこそ発見があり、自分の海域が豊かになる。そうするうちに、自分でも何年も忘れていたことを語り出すこともあるかもしれない。今日のわたしたちのように。

「その後」を歩く

有緒　さっきの「9・11」かもしれない作品で、ゆみは新婚旅行から帰ってきた翌日だったって言ってたけど、あのときはロイター通信に勤めてたんだよね。

ゆみ　そう。だからマジ地獄だった。前日に帰ってきたばっかりで一一時半から出社するシフトだったんだけど、朝起きてテレビをつけたときには……。

マイティ　あ、そっかあ。

ゆみ　それで、〝おねえちゃん〟の一大事なのに、仕事に支配されて。もういますぐこんな仕事辞めたいって思った。でも、会社の同僚もみんな泣きながら仕事してる感じだったから、そうも言えなくて。あの日に限ってワールドトレードセンターでやってるカンファレンスの取材に行った同僚がいて、そのひとたちも亡くなって。

〝おねえちゃん〟とは、わたしとゆみの共通の友人である。一〇代のころからアメリカに住んでいるおねえちゃんは、サポートでも知識でも惜しみなく与えるギバーで、わたしもゆみもアメリカに引っ越したあとは、もうひとことでは言い表せないほどお世話になった。アパートの見つけ方、自動車免許の取り方から、ごはんの作り方、クレームの入れ方、レポートの書き方まで、彼女に聞けばなんでも解決した。現地でプロフェッショナルとして働き、凜として美しいおねえちゃんは、わたしたちの憧れそのものだった。

そうして二〇〇一年、渡米から六年が経《た》ちわたしはフィリップス・コレクションの近くにある小さなコンサルティング会社で働いていた。そのころおねえちゃんはニューヨークに引っ越していたので、あまり連絡をとっていなかった。だから、ワールドトレードセンターで働いていたおねえちゃんと婚約者がテロに巻き込まれたことは人伝《ひとづて》に知ることになった。おねえちゃんは助かり、婚約者は助からなかったという。ショックだった。信じがたかった。身近なひとにそんなことが起こるわけがないと根拠なく信じていた小さな器のわたしには、すぐには受け止めきれない報《しら》せだった。

連絡をとらなければと思った。その半面で、急に連絡をすることに迷いを感じた。こんなときばかり連絡をとろうとするのはひどくちぐはぐで、余計に傷つけることにならないだろうか。そうだ、もう少し落ち着いたころに電話をかけよう……。しかし、そうこうしている間に一カ月が過ぎ、タイミングを完全に逸してしまったまままわたしはコンサルティング会社を辞め、恋人と別れ、アメリカを去った。

おねえちゃんに再会できたのは一六年後、二〇一七年の秋のことだ。東京のベトナム料理店で顔を見たとき、わたしは泣いた。大袈裟《おおげさ》ではなく、生きてまた会えたことが嬉しかった。もっと早く連絡すればよかったと思ったけれど、一六年前に言いたかったことはもう言葉にはならなかった。

「あっちゃんがそう思ってるって知っただけで、おねえちゃんはきっと喜ぶよ」とゆみはにこっとした。

「そうかなあ。あれだけお世話になったのに電話ひとつかけなかったなんて、わたしはほんとにダメなやつだよ」

その日、そのときにしか出せない言葉というものがある。ある瞬間のあるタイミング。そこを一瞬でも逃すと、もう二度と出てこない言葉。飲み込んでしまった数々の言葉を、胸の奥にある引き出しにしまい込みながら生きるしかない。でもこうして旧友に話したことでほんの数グラムだけ引き出しが軽くなった気がした。

有緒　わたしは一昨年（二〇一七年）に久しぶりにニューヨークに行ったときに、ツインタワーの跡地に行ったの。二〇〇一年にアメリカを出てからニューヨークには行ってなかったから、そこがどうなっているかも知らずに。そうしたら地下がショッピングモールになってて、みんな楽しそうに買い物してた。なんか心底驚いた。もちろん地上にはモニュメントがあるんだけど、地下にはアメリカの日常がある。あれだけのことがあった場所に、地下とはいえ「ショッピングモール」をつくるっていうその感覚が全然わからなかった。わたしはアメリカに住んではいたけど、まったくアメリカのことを知らなかったんだという奇妙な感覚になったな。

ゆみ　あのころ跡地をどうするかという議論があって、本気であそこが経済的にイキイキした場所になるっていうことが弔いであるみたいな話も出て。

有緒　例えばだけど、そのまま静かな場所にしておこうみたいな発想はない？

ゆみ　あったとしても弱い声だったかな。だってそれはアメリカ的な考え方でいうと「負け」でしょう。
有緒　そっか、アメリカ的な「成功」や「勝ち」っていったら、やっぱり経済的繁栄だもんね。そこにはアメリカの価値観が如実に表れてる。
ゆみ　あの場所には、「9／11メモリアルミュージアム」ってあるわけ。そこは、こういうことが起きました、という事実を知らせるコーナーがあって、その次に、入るか、入らないかを選ぶ場所があって、その先には「あの日」のオーディオアーカイブがあるんだよ。
有緒　えっ、うそでしょ？
ゆみ　ほんと。
有緒　あの日の音声が聞けるの？
ゆみ　そう、誰々さんが誰々さんにかけた電話とか。
有緒　うそでしょ？
ゆみ　ほんと。
マイティ　体験することを選択すると、それを聞けるんだ。
ゆみ　そう、個室があってサラウンドでワーッてなってて。
有緒　じゃあ、ヘッドフォンで聞くんじゃないんだ？
ゆみ　うん、ヘッドフォンじゃない。部屋の中に入るとそれがもうワーッて聞こえる。白鳥さん、揚げ物食べます？　湯葉のチーズ揚げ、とろとろ。

白鳥　では、ひとつください。

ゆみ　これは熱いのだろうか。はい、そちらのお皿にいきます。

有緒　サラウンドかー。

モニュメントとショッピングモールと「その日の音声」が物理的に重なり合っているその場所は、さっき見た大竹伸朗のコラージュみたいだった。しかし、都市自体がそういうものなのかもしれない。都市には、大勢のひとの暮らしや仕事、経済、旅や日常、そこにあるあらゆる機能や営み、感情、記憶が重なり合っている。その中でも、特に「忘れてはいけない」と誰かに認定されたものに関しては、保存されたり、モニュメントや博物館として残される。その一方で、認定されなかったものは、風の中に置き去りにされるか、開発の中で暴力的にぶっ壊されていく。

マイティ　でもさあ、そこ（オーディオアーカイブ）に入るか入らないか選択できて、そこに主体性があるのはいいことだと思う。自分で選択できるでしょう。なんか日本の博物館って、どうしても順番に見るような感じになっていて、自分が選ばないっていうことを選べない。

ゆみ　「選ばないっていうことを選べない」。いまマイティがすごいこと言った。選択肢すらないってことだよね。

マイティ　それでいて日本はどこか腫れ物に触る感じっていうか、博物館とかも、ただ事実を展示する感じ。アメリカとかだと自分も追体験できるようになってたり。例えばＩＤを渡されて、あなたはもう兵士のナントカさんになりましたみたいな感じで、選択して進むと自分が第二次世界大戦を体験しているような展示とか。自分に置き換えて考えることを徹底してる。

ゆみ　そうなんだよね、でも心の準備は必要だと思った。わたしはうっかり心の準備をしないでオーディオアーカイブに入ってしまったんだ。ギリギリまで忙しかったから、あんまり予習しないで行っちゃって、普通に順路を進んでそこに入ってから、ちょっと待った、ちょっと待った、ここはこういう風にわっと入るところじゃないって気がついて。いったん出て、自分を整えてからまた入った。

有緒　……それでどうだった？

ゆみ　すごいエグい。たぶん人間の反応としてはウワッてなって、もう本当にエグい体験なんだけど、やっぱり追体験することを選んでよかったと思った。

マイティ　もし仮にそこで体験することを選ばなかったとしても、そこで自己問答をして自分はどうして選ばなかったのかって考えるんじゃないかな。もしくは入ったひとに話を聞くこともできるかもしれない。

有緒　白鳥さんは、どう？　そういうオーディオアーカイブがあったら、入ってみたいと思う？

白鳥　うん、俺、たぶん行くと思う。俺はそれよりも、その手前としての展示のあり方自体もっと考えてほしい。例えば、広島の平和記念資料館でも、当事者の話をビデオで見たり、ほかの資料も見ることができる。それは必要だと思うんだけど、じゃあ日本以外から見た〝ヒロシマ〟っていうのはなんだったのかっていう視点がそこにはないんだ。広島や、長崎もホロコーストも、相反する意見や視点を知ることまではできない。それは、その9・11の話でも同じじゃないかと思う。

ゆみ　そうね。確かに。

有緒　悲劇そのものに焦点を当ててるだけでは不十分ということだよね。なぜそれが起こったか。

白鳥　そうそう。その部分がね、非常に不満なんです。

この社会におけるできごとのすべてには異なる視座があり、異なる「正義」がある。経済のため、効率のため、会社のため、国家のため。わたしには筆舌に尽くしがたいほど理不尽に感じる福島県の原発事故にも、誰かの「正義」がある。どんなにひとが苦しんでいても、「それでも原発は必要だ」と固く信じて主張し続けるひともいる。長崎・広島への原爆投下もシリア内戦も、視座が変われば誰かの「正義」がそこにある。そういった「正義」と「正義」はぶつかり合って、砕け散って、その破片はときになんの関係のないひとまで傷つけてしまう。だから、もしかしたら、ひとつの正義を信じる自分もまた誰かにとって非道な刃《やいば》になっているのかもしれなかった。「悲劇」を後世に伝えるだけではなく、そこにある多面性、複雑さを理解しながら、一歩ずつ先に進んでいかないといけない。白鳥さんが言わんとすることはそういうことなのではないだろうか。

ニューヨーク、水戸、東京と違う街に住むわたしたちが、次に集まれるのはいつだろう。きっとしばらく会えないから、いくらでもしゃべることがあった。しかし、長編小説や映画とおんなじで、すべての楽しい夜には終わりがある。ゆみが携帯電話を取り出した。

ゆみ　どうする？

有緒　そうだよね。近づいてきたよね。終電かも。

ゆみ　え、終電、もうそんな時間？　いま何時？

有緒　うん、まだ大丈夫だけど、そろそろ東京に帰らないとね。

参考文献
『百聞は一見をしのぐ⁉　視覚に障害のある人との言葉による美術鑑賞ハンドブック』エイブル・アート・ジャパン
大竹伸朗『見えない音、聴こえない絵』新潮社

第5章

湖に見える原っぱってなんだ

ここで話をもう一度一九九五年に戻そう。

好きなひととデートがしたいと初めて美術館に足を運んだ白鳥さん。その楽しい時間がきっかけとなり、美術館へのアプローチが始まった。

「自分は全盲だけど作品を見たい。誰かにアテンドしてもらい、作品の印象などを言葉で教えてほしい、たとえ短い時間でもいいのでお願いします」と粘り強く美術館に電話をかけ続けた――。

白鳥さんは別にライフワークにしようなどと思っていたわけではないらしいが、結果的には美術を見る行為を通じて、それまで「見えるひと」に対して感じていた引け目や「見える」と「見えない」の間の壁が取り払われていったという。

そのきっかけになったのは、ふたつのできごとだ。ひとつ目は、最初にひとりで訪れた名古屋市美術館で一九九六年に行われたゴッホの展覧会。「素描が多かった」と白鳥さんは記憶する。

その日は、とても長い日だったらしい。

いまでこそ白鳥さんは「自分たちが好きなものを選んで見ていこう」「疲れたらやめよう」というスタンスだが、当時はまだまったくの手探り状態だった。それは、アテンドしてくれた美術館のひとも同じで、その日ふたりはなんと一点ずつ時間をかけてじっくりと全作品を鑑賞した。おかげで全七三点を見終わるまでに三時間以上もかかった。

「俺はもうヘトヘトで、そのひともずっとしゃべっていたから、相当疲れたろうなと思って、お礼を言おうと思ったら、向こうから先に『ありがとうございました』って言われちゃって。あれ、どういうことだ⁉　って。どうやら展覧会の企画側にいても、作品をそこまでじっくり見る機会ってなかったみたいで、むしろありがとうございましたって言われて、驚いた」

助けてくれているようで、実はそのひとも一緒に見ることを楽しんでいた。いつもいつも「ありがとう」と言う側だった白鳥さんが、「ありがとう」を言われる側に逆転した瞬間だった。


ふたつ目は、「目が見えるひとも、実はちゃんと見えてないのではないか」と感じさせる面白いできごとだ。それは印象派の作品展で、アテンドしていたのは松坂屋美術館（名古屋市）の男性スタッフ。何枚かの絵を見たあとに男性は、一枚の作品を前にして、「湖があります」と説明を始めた。そのあとに「あれっ！」と声をあげ、「すみません、黄色い点々があるので、これは湖ではなくきっと原っぱですね」と訂正した。男性は「自分は何度もその作品を見ていたはずなのに、ずっと湖だと思い込んでいた」と驚いている。

それを聞いた白鳥さんも仰天した。

「ええ⁉　湖と原っぱって全然違うものじゃないのって。それまで〝見えるひと〟はなんでもすべてがちゃんと見えているって思っていたんだけど、〝見えるひと〟も実はそんなにちゃんと見えてはいないんだ！　と気がついて。そうしたら、色々なことがとても気楽になった」

そう、「見えるひと」が、「見えないひと」と一緒に作品鑑賞をすると、自分の思い込みや勘違いにたびたび気づかされる。普段、目が見える人々は、膨大な視覚情報にさらされながら生活しているのだが、細かい情報をすべて脳内処理することは不可能なので、目は必要な場所に注目し、必要な情報だけを取捨選択する。同時に必要のないものは視覚に入ってきても脳内で処理されない。セレクティブ・アテンションと呼ばれる認知のバイアスの一種だ。

この種の認知バイアスを証明したとても有名な「ゴリラ」の実験がある。実験のために用意された動画の中では、黒いシャツと白いシャツを着たグループが狭い場所で動きながらそれぞれバスケットボールをパスし合っている。実験の参加者は、白いシャツを着たグループが何回パスしたかを数えるように求められる。動画の途中では、パスをする人々の間を着ぐるみのゴリラがゆっくりと横切っていく。そしてビデオを見終わったときに「ゴリラはいましたか」と聞かれると、だいたい半数から三分の二のひとがゴリラには気づかなかったと答える。参加者は「見るべきもの」に集中した結果、ほかのものが見えなくなっていた。しかし、パスの回数を数えることを指示されない場合は、たいていのひとがゴリラに気がつくことができた。

同様のことを哲学者の鷲田清一《きよかず》は著書の中でこう書いている。

わたしたちの通常の「見る」は、だから、とても貧しい。見るべく整えられたもの、つまりは見るべきものを見るだけで、あらかた過ぎてゆく。（中略）眼は意味あるいは記号に感応しているのであって、そこから「見る」ことの野生は脱落している。射るどころか、さまようこと、たゆたうこと、まどろむことすら忘れた眼……。

見えるものにある照準を定めるためには、そして見えるものに「世界」という秩序をあたえるためには、おそらくそうしたエコノミーがどうしても必要なのだろう。（『想像のレッスン』）

だから美術館に足を運び、長い列に並び、入場料を払い、やっとのことで見た作品でも実は見えていないもののほうが圧倒的に多い。しかし、「見えないひと」が隣にいるとき、普段使っている脳の取捨選択センサーがオフになり、わたしたちの視点は文字通り、作品の上を自由にさまよい、細やかなディテールに目が留まる。おかげで「いままで見えなかったものが急に見えた」ということの松坂屋美術館の男性のような体験が起こる。白鳥さんにとってもこのできごとは、「見る」という概念を揺るがす画期的な体験となった。

「それまでは、たとえ目が見えていても、ちゃんと見る気にならないと見えないらしいというのは知識としては知っていたわけ。それは物の見方とか注意力の話かなって思うんだけど、実感として自分の中にはなかった。だから、見えるひとは見たらなんでもわかるだろうと思ってた。だからこのとき、なあんだ、見えるひとも実はちゃんと見えてないんだとわかると、いろんなことが気楽になったよね」

この話を聞いたとき、なるほど、なんて面白いんだろう！　と膝を打った。同時に、こんな風に白鳥さんを開眼させた作品、「湖に見える原っぱ」とは、いったいどんな作品なのだろうと気になってしょうがなくなった。二〇年以上前の話なので、確認するのは容易ではなさそうだが、まずはできるところから調べてみることにした。

白鳥さんの記憶を改めてたどると、場所は間違いなく松坂屋美術館で、時期としては美術館めぐりを始めてすぐのころだという。ということは、九六年か九七年だろう。

シンプルにググってみたところ、「印象派・後期印象派展」という展覧会が一九九六年二〜三月に松坂屋美術館に巡回したことがわかった。今度は松坂屋美術館に絞って展覧会記録を調べてみると、その前後にほかの印象派関連の展覧会は行われていない。よし、ビンゴ！

次に図録を手に入れるべく検索を続けた。再びシンプルにググってみたところ、ヤフオクで図録が売られていた。便利な世の中だなあ！　と思いながら、一〇〇〇円で落札。

届くなり、ページをめくった。原っぱに見える湖ねえ。そんなものは、そうそう転がっているわけがないから、見ればすぐにわかるはずだ。

ページをめくると、すぐにこれという一枚があった。フィンセント・ファン・ゴッホの《アルルの公園、陽《ひ》のあたる芝生》（一八八八年）。よし、ちゃんと黄色い点々もある。

念のためほかのページも見ていくと、あれ、ううむ、と戸惑った。原っぱのような湖のような……という絵が実はいくつもあるではないか。アルフレッド・シスレーの《オルヴァンヌ河岸の柳》（一八八三年）にカミーユ・ピサロの《ルーヴシエンヌ》（一八七〇年）も怪しい。

すっかり混乱したわたしは、後日、白鳥さんとマイティと一緒に図録を見返した。すると、マイティはわたしがピックアップした作品を見ながら、「えー、これ？　全然、湖に見えないよー」と図録を取り上げ、別のページを開きながら、「ねえ、これじゃない？　ほら、湖に見えない？」と言う。それは、完全にノーマークの作品だった。

なんだ、なんだ？　どういうことなんだ？

なぜここまで混乱するのか。その原因を紐解《ひもと》く鍵は、「印象派」にある。

そもそも印象派は、人間の視覚で感知した「光」を絵の具とキャンバスで再現するという新しい試みにより生まれた。多くのひとが印象派の絵画を愛するが、その魅力を改めて考えると、自然な光を感じさせる透明感、そして複雑な色彩が織りなす鮮やかさにひとは惹かれるのではないだろうか。

この光を描く技術こそが、印象派が起こした革命である。いま見ると当たり前にも見える絵の具で「光」を再現する技術は、感性だけではなく、科学的な探求の果てに生まれたものだ。

そもそも絵の具というのは、混ぜれば混ぜるほど、色が濁るという物質的な性質がある。複雑な色を作ろうと絵の具をどんどん混ぜ合わせてしまうと、色は混ぜた分だけ暗くなり、最終的には黒になる。じゃあ、白を混ぜればどうなるかといえば、色味は明るくなるが、透明感はなくなり、同じように「光」とは遠ざかる。

そう、光は透明なのだ。

そこで編み出されたのが「筆触分割《ひっしょくぶんかつ》」（色彩分割）という手法だった。印象派の画家たちは、絵の具を混ぜずに、異なる色をそれぞれのままドット状に塗ってみた。すると、お互いの色は濁らないまま明るく軽やかに見えた。これは、たとえ異なる色であっても色同士が近くにあれば、人間の網膜はうっかり一緒に処理してしまう「視覚混合」という現象を利用したものだ。これは現代の印刷技術でも生かされていて、無数の色を表現するフルカラー印刷でも、実はプリンターでお馴染みの四色の網点《あみてん》を混ぜ合わせて印刷されているにすぎない。

印象派の起源ともいわれる《ラ・グルヌイエール》(一八六九年)というボート乗り場を描いたクロード゠モネ(一八四〇〜一九二六)の作品がある。その日、まだ無名で貧乏時代のモネとルノワール(ピエール゠オーギュスト・ルノワール／一八四一〜一九一九)はふたりで連れ立って、セーヌ河畔にスケッチに出かけた。同じ画塾で出会ったふたりは親友で、よく一緒にスケッチしていた。

このころ、チューブ式の絵の具が開発され、絵の具を持って戸外に出ていくことが可能になった。彼らは野外にイーゼルを立て、目の前にある光や風、空気の流れで変化し続ける自然の風景を描こうと奮闘した。その瞬間にしか存在しえない透明感のある光や印象を描くには、まったく新しい絵画テクニックが必要だった。そして、キャンバスの中で異なる色をいくつもドット状に近くに置いた……。

この日ルノワールとモネは、水面に反射する陽光が美しいボート乗り場を描いた作品を残した。「印象派」という名が生まれるきっかけとなったモネの《印象、日の出》が世に出るのは、この五年後のことである。

というわけで、印象派の絵はくっきりとした線では描かれておらず、点の集まりや荒々しい筆跡がそのまま残されている。物体としての写実性よりもその瞬間の「光」と「印象」を優先した結果だ。印象派の絵が初めて世に出たとき、ビシッとした線と色で仕上がった絵を見慣れていた批評家たちは大きなショックを受け、「描きかけの壁紙以下」と評したと伝えられている。

誰も知らないこと

図録を前にしたわたしとマイティは、「ほかになにか絵のことで覚えてることないの？　ひとがいたとか、天気がこうだったとか」と白鳥さんに問いただした。

「うーん、ずいぶん前だからねえ。覚えていないけど、絵の中に人間はいなかった気がする」

「黄色い点々は確かなの？」

「うーん、そうだと思うんだけど……」

それが唯一の手がかりだった。

最終的に候補として絞り込まれたのは、フィンセント・ファン・ゴッホの《アルルの公園、陽のあたる芝生》、ブランシュ・オシュデ（一八六五～一九四七）の《畑》（一八九〇年頃）、そしてクロード・モネの《洪水》（一八八一年）の三作である。

《洪水》はマイティのチョイスだが、わたしはこれではないと確信していた。なにしろ《洪水》は増水したセーヌ川を描いたもので「水」そのものだし、原っぱと呼ぶには全体的に印象が暗すぎる。

クロード・モネ《洪水》（1881年）60 × 100.3cm

わたしたち三人は、図録を前に、ああだこうだと議論した。しかし、すべては憶測にすぎず、決着がつくはずもない。なにしろ唯一答えを知っている白鳥さんは「そう、これだったよ！」と断言することはできない。そして、松坂屋美術館の男性が誰だったかはわからない。

このやりとりの直後、わたしは奈良県立図書情報館で講演をすることになっていた。テーマはまさに白鳥さんとの美術鑑賞体験である。

よし、こうなったら大勢のひとの力、「集合知」を利用して決着をつけようと思いついた。その日、会場のプロジェクターに三枚の写真を順番に映し、約四〇人の来場者に「どれが原っぱに見える湖だと思いますか」と質問し、挙手してもらった。

答えは、見事にバラけた。意外なことに「洪水」を選んだひとも多かった。

マイティは嬉しそうに言う。

「実は誰も答えがわからないっていうのが、この話のいいところだよね」
　うん、そうなのかもしれない。

参考文献
木村泰司『印象派という革命』ちくま文庫
吉川節子『印象派の誕生　マネとモネ』中公新書
鈴木宏昭『認知バイアス　心に潜むふしぎな働き』ブルーバックス新書
鷲田清一『想像のレッスン』ちくま文庫

みんなでアートを見る

どこかから声が聞こえない？

上：三菱一号館美術館。初めての鑑賞。（第1章）
左：国立新美術館。左端が有村眞由美さん、右端がマイティ（第3章）© 市川勝弘

多聞さんって、仏像に詳しそう

右：水戸芸術館。左端が佐久間裕美子さん。（第4章）© 武田裕介／上：興福寺境内。帽子の男性が矢萩多聞さん。（第6章）

これはどこの風景なんだろう？

俺、こういうの、結構好きかも

上：興福寺僧侶・南俊慶さんのお話を聞くワークショップ参加者。（第6章）
左：はじまりの美術館。悪魔のしるし《搬入プロジェクト》に夢中。（第7章）

黒部市美術館。
風間サチコ作品の前で。
左端が滝川おりえさん。
（第9章）

《夢の家》。居間の座卓でくつろぐ。
右から2番目が佐藤純也さん。（第11章）

《夢の家》。もじもじくんに着替えて。（第11章）

《夢の家》の外観。一夜が明けて。
（第11章）

茨城県近代美術館。塩谷良太《物腰（2015）》を見る。（第 12 章）
© 市川勝弘

第6章

鬼の目に涙は光る

エドワード・ホッパー《ナイトホークス》、法橋康弁《木造天燈鬼立像》《木造龍燈鬼立像》、成朝ほか《木造千手観音菩薩立像》

「よし、奈良に仏像を見にいこう！」と言い出したのはわたしだった。現代美術を偏愛するマイティは「え、仏像！　ほんとに仏像？　なんで仏像？」と戸惑った。まあ、気持ちはわかる。なにしろ、わたしもマイティも仏像に関してはド素人で、その面白味も見方もいまいちわからない。しかし人間は変化を求める生き物だ。ヨーロッパ絵画、現代美術ときたら次は仏像だろう、うん。「きっといろんな発見があるよ」と言うわたしが独断で選んだのが、興福寺国宝館だった。

一三〇〇年以上の歴史を誇る興福寺は、ユネスコの世界文化遺産にも登録され、五重塔をはじめ、鎌倉時代に再建された北円堂《ほくえんどう》、伽藍《がらん》の中心に位置する中金堂《ちゅうこんどう》など見所が多い。特に中金堂は二〇一八年に二〇〇年という歳月と最高の寺院建築技術を結集し、再建された。以前の中金堂は老朽化が進み、朽ちて落ちそうになっていた軒をつっかえ棒で支え、仏像の上にテントを張って雨をしのぐ、というほどボロボロだったらしい。

そんな興福寺は、仏像で有名でもある。ガイドブックで見た限りだが、そこにある仏像たちはかなりチャーミングだ。なかでも哀愁漂う美少年風の阿修羅像には、ファンクラブすら存在するとか。ほかには、四二本もの手を持つ迫力満点の千手観音像、そして仏師・運慶《うんけい》の晩年に作られたと言われる無著《むじゃく》・世親《せしん》像なんかもよさそうだ。

こうしてみると、仏像の世界はなかなかアバンギャルドなのである。

白鳥さんにナビゲーションをしてもらう

三人そろって関西まで足を延ばすのは初めてで、遠足の前日のようにワクワクした。これまでは水戸在住のマイティが白鳥さんを現地までアテンドするのが常だったが、今回マイティは「見たい展示があるから先に関西入りする」とのこと。マイティはいつでもどこでも展示を見るチャンスを逃さない。というわけで、東京から奈良まではわたしが白鳥さんを連れていくことになった。

よおし、きっちり任務を果たすぞ……。

白鳥さんは、せっかくだから川崎市市民ミュージアムの展示を見てから行くという。こちらもまた展示を見るチャンスを見逃さないひとである。というわけで、川崎市市民ミュージアム最寄りの武蔵小杉駅で待ち合わせをした。

わたしは三〇分前には武蔵小杉駅に到着していた。余裕がありすぎてカフェに入るくらいだった。五分前に悠々とバス停に向かうと、なぜだか待ち合わせのバス停が神隠しのごとく見つからず、無駄に駅周辺をグルグルと走りまわったあげく、白鳥さんの姿を見つけたときは約束の時間を過ぎていた。

「ごめんね！　わたし、ほんと方向音痴なんだよ。ええと、ＪＲの改札はこっちだ！」

焦って改札に突き進もうとするわたしを、白鳥さんは止めた。

「いや、ＪＲじゃなくて、東急東横線じゃない？　菊名まで行って、そこからＪＲ横浜線で新横浜に出て新幹線だよね」

「え、そうだっけ、乗り換え案内で調べるわ……。あ、ほんとだ、水戸に住んでるのに東京のことよく知ってるね！」

「うん、調べておいたからね」

というわけで、アテンドするわたしのほうが視覚情報はおろか、スマホに頼りすぎて方向感覚も記憶力も低下していることが露呈した情けない旅のスタートとなった。

新横浜駅で崎陽軒《きようけん》のシウマイ弁当とビールのロング缶を買い込み、新幹線の座席に腰をおろした。いやあ、ほっとした。すっかり自信を喪失していたわたしは、さらなる自分のポカミスにより新幹線を乗り逃すことを恐れていたけれど、ここまでくればもうベルトコンベアー状態なので安心である。

というか、この本を読んでいる誰もがもうとっくにわかっているとは思うんだけど、白鳥さんはひとりの移動でもなんら問題がない。だから、さっき書いた「連れていく」という表現は完全に間違っている。白鳥さんはいつもひとりで買い物にいき、飲みにいき、旅行に出かける。今回も奈良で現地解散したあとは京都に出て一泊し、浜松で友だちに会ってから水戸に帰るとのことだった。つまりわたしがやっていることは、所詮階段の多い駅のエスカレーター程度の役割にすぎなかった。

新幹線の中で、わたしはたまたま読んでいる最中の『短編画廊 絵から生まれた17の物語』（ローレンス・ブロック編、ハーパーコリンズ・ジャパン）という本について話をした。

エドワード・ホッパー《ナイトホークス》（1942年）84.1 × 152.4㎝

「これがけっこう面白い趣向の小説なんだよ」

アメリカの画家、エドワード・ホッパーの絵を題材にした短編小説集で、作品から着想した架空の物語を描いたものだ。白鳥さんは読書家なので、ホッパーの絵を題材にした小説なんて彼にピッタリじゃない？　と思ったわけだが、意外なことに「ホッパーって誰だっけ？」という答えが返ってきた。

「え、知らない？　ほんと？」

腑《ふ》に落ちなかった。ホッパーはアメリカを代表する画家で、アート好きじゃなくとも知っているポピュラーな画家のひとりだ。年に何十回も美術館に通い、「好きなアーティストはフェリックス・ゴンザレス＝トレス」と言う白鳥さんが知らないはずがない。

「〝ホッパー〟って言われてもピンとこないかもしれないけど、あの、夜のカフェの絵はどこかで見たことあるんじゃない？　通りにカフェからの灯《あか》りが漏れていて、中には何人かの男女がいるのが見えて。タイトルは、確か《ナイトホークス》だったかな」

そう自分で言ったあとに、はたと気がついた。

そうか、目が見えないって、そういうことなのかな——。

目が見える人々は、普段から広告やテレビで多くの視覚情報にさらされていて、見たくなくてもいろんなものが自然に目に入ってくる。

最近の電車では、脱毛とか借金とかロボット掃除機とかの広告がやたらと迫ってきて、勝手に脳内に焼き付いてしまう。白鳥さんはそれとは逆で、美術作品のすべてをきちんと美術館で見ている。つまり展覧会で見ていない作品を、偶然「目にする」ということもなく、それゆえに、「よく知らないけどどこかで見覚えがあるぞ」ということはない。

なるほど……、そういうことか。

そして、考えてみたらわたしもホッパーの原画はひとつも見たことがなく、本当の意味でホッパーの作品を知っているわけでもなかった。

「そっかあ。最近はホッパーの作品はとんと日本に来ないもんね。いつか一緒に見にいこう。きっと気にいると思うんだ」

越境した先の世界

それから、缶ビールを何本も空けながら、ダラダラとお互いの若いころの話をした。

前にも書いたが、白鳥さんが美術鑑賞を始めるきっかけは、大学時代のデートだったわけだが、いつしかアートは人生の大切な部分を占めるようになった。

「俺はさあ、アートに出会って生きるのが楽になったっていうのはあるよね」

「楽ってどういう感じ？」

「うーん、なんていうのかな。たまに昔の盲人仲間に会うと、そのひとは、ああ、やっぱり盲人と一緒にいると落ち着くよねとか言うわけ。俺もさあ、三〇代前半くらいまではそう思ってたんだけど、三〇代後半からそれがなくなったんだよねえ。いまは見えるとか、見えないとか関係なくなって、見えるひとの友だちのほうが多いし、むしろそっちのほうが気楽なんだよねえ」

「その感覚、わかる気がするな。例えば外国に住み始めると、最初のころは日本人同士でいるのが落ち着くんだけど、だんだん現地の友人といるのが楽しくなるわけ。『日本人』っていう理由だけで集まっちゃうとむしろ疲れることも多かったり。きっとそれと同じだね。だって、日本人とか全盲とかお母さんだとか、そういうのって、結局はそのひとを構成する要素の一部でしかないんだよね」

わたしは、二〇代でアメリカ、三〇代でフランスに引っ越し、現地の職場で働き、英語やフランス語を習得しながら暮らしてきた。どちらの国でも住み始めた当初は言葉や文化の問題で苦労が絶えなかったけれど、それを突破した先に進んでみれば楽しい経験の連続だった。

目が見えるひとに囲まれて大学に通った白鳥さんと、異なる言語をしゃべる人々が住む国に移り住んだわたし。そうか、立場はまったく違うけれど、ともに住み慣れた場所を離れて見知らぬ地に越境したという点で、似た者同士だったんだなと納得した。

白鳥さんが飛び込んだ大学生活ではもちろん苦労もあった。

「最初のオリエンテーションのときにはなにか記入するようにって言われて、知り合いもいないから、どうしようかなとか思って。基本的に『記入』ってできないからさあ。そもそもプリントになにが書いてあるかもわからないし。いま思えば、事務局に持っていって書いてもらえばよかったんだけど、そのときはテンパってるから隣にいるひとに代筆してくれませんかって頼んだの。そしたら、そのひとにいや、僕も書いてるんでって言われて、そりゃ、そうかって」

大学には計六年間通った。充実した生活だったが、最後は単位が足りずに卒業には至らなかった。しかし、そこで友人や恋人と出会い、アートとめぐり合い、人生の新しいフェーズが拓《ひら》けた。

「白鳥さんは、『見えないひと』と『見えるひと』の境界線を飛び越えたからこそ、楽になって、心地よい場所を見つけることができたんだね」

「うん、確かに。知らない世界に行くときってちょっと怖い。でも、その怖さとワクワクはセットなんだ。そう考えると、不確かさがないところにワクワクはないのかな。確かな世界にずっといたら、居心地はよくても人生としては面白くないのかもねえ」

そうだ、その通りだね、といい感じに酔っ払ったころに、新幹線は京都駅に滑り込んだ。

「よし、奈良行きの電車に乗り換えよう。ええと、何線だったかな、ちょっと待って。いま調べるね」とわたしが言うと、白鳥さんはあっさり「奈良線だと思うよ」と答えた。まさにその通りだった。

奈良駅近くのホテルでマイティと合流し、シングルベッドが三つ並んだ部屋にチェックインした。白鳥さんは一通り部屋をぐるりと歩き、色々なものを手で触れながら、トイレや洗面室、ベッドの位置を確認していった。こうするうちに頭の中には部屋の地図ができるらしい。

その夜はインド音楽をかけ、おしゃべりをして、眠りについた。

鬼の目に光る涙

早朝、ザーザーという流水の音で目が覚めた。遮光カーテンを閉めた部屋の中はまだ暗くなにも見えない。きっと隣の部屋のひとがシャワーを浴びてるんだ、ずいぶん壁が薄いホテルだなあと思いながら、再び眠りについた。朝七時ごろ目が覚めると、白鳥さんはもう起きて着替えていた。

「あれ、早かったね。ていうか、もしかして朝シャワーを浴びてた？」

「うん」

「え、真っ暗な中でも大丈夫なのか、そりゃそうか」と言うと、「うん、便利でしょ！」と笑った。

マイティは昔から寝起きが悪い。ヨーロッパやアメリカなどに一緒に旅に出かけたが、マイティがわたしより先に起きることはまずなかった。

「うああ、ねむいー、ねむいー！　白鳥さん、なんか音楽かけて、朝っぽいやつ」

「うん、わかった」

白鳥さんはカバンからパソコンとスピーカーを取り出し、重厚なクラシック音楽をかけた。

「これ、誰の曲？」

「ハイドン」

「ふーん」

わたしたちが、着替える気配を察すると、白鳥さんはクルリと壁の方向を向いた。

「白鳥さんって、いつもこっちを向かないように気を使うよね！」とマイティが言う。

「一応これがエチケットかなと」と彼は答える。ありがたい。やっぱり、男性がこっちを向いている前で着替えるのは抵抗があるものだ。


興福寺の境内では、京都在住の友人、矢萩多聞《やはぎたもん》さんと落ち合うことになっていた。わたしたちを乗せたタクシーが興福寺に近づくと、鹿の大群がうろついているのが見えた。

「うわー、鹿、鹿、鹿だらけ！　鹿って、街なかで放し飼いなんだ！　すごい！」

わたしが小学生のように興奮していると、タクシーの運転手さんが「お客さん、飼ってるんちゃうで。この鹿は野生なんですわ」と教えてくれた。その親しげな言葉を聞いて、わあ、ここは関西だな！　と嬉しくなった。

国宝館の前では、坊主頭にメガネをかけた多聞さんが立っていた。夏日が容赦なくギラギラした日で、インド綿のシャツが涼しそうだ。

多聞さんは装丁家で、わたしの本のデザインも手がけてくれている。独特の味と温もりがある装丁はとても魅力的なのだが、実は負けず劣らず個性的なのが彼自身の人生である。しかも装丁家になる前の話がめっぽう面白い。小学校のころからあまり学校に行かなくなった多聞さんは、中学生のときに「インドで暮らしたい」と考えるようになった。それを両親に訴えた結果、中学生にして両親と三人でインドに移住。ゆったりと絵を描いて暮らした。その後、インドと日本を行ったり来たりする生活の中で、偶然が重なり合うようにして装丁家になり、家族を持ったいまでもインドと日本の二拠点ライフを続けている。

どこを切り取ってもユニークすぎるひとなのだが、どういうわけだか彼は「いつか自分は目が見えなくなるのでは」という奇妙な予感を持って生きている、と告白する。わたしは初めて多聞さんに会った数年前にはそれを聞いていたので、じゃあ、その「いつか」に備えて、まずは白鳥さんと仏像を見にいこうよ、と誘った。

多聞さんは「今日をすごく楽しみにしてましたー、いや、実は僕はいつか目が見えなくなる気がしていて……」と、前からの友人のように白鳥さんとおしゃべりを始めた。さすが、インドに住んでいただけあってひととの垣根が低いなあと感心する。それに多聞さんには、お寺の風景がやたらと似合っていた。そういえば、多聞という名前自体、佐渡島《さどがしま》の寺の名前からとられたんじゃなかったっけ……。

そう、「多聞天《たもんてん》」は、仏さまを四方から守る守護神ユニット、いわゆる「四天王」のひとりだ。インド名ではヴァイシュラヴァナ、そのサンスクリットの音から、ソロ活動（一体で飾られる）のときは「毘沙門天《びしゃもんてん》」と呼ばれる。とはいえ、七福神チームの中に入るときは「多聞天」ではなく「毘沙門天」の名で通っているので実にややこしい。いや、そもそも仏像にはマジでたくさんの種類があり（一説によると数千にも上るとか）、本当に理解しようとすればするほど複雑な世界である。

ちなみに、仏界のトップに立つのは、如来《にょらい》である。お釈迦さまが悟りを開いたあとの姿なので、悟りを開く前である菩薩《ぼさつ》に比べると質素なお姿をしている。そんなの知ってるって？　ええ、わたし自身が本当に無知なんで書いてみた限りです。

「ねえ、多聞さんって仏像に詳しそうじゃない？」と話をふると、うん、うん、と頷いた。

「まあね、仏像ってだいたい古代インドとかヒンドゥーの神さまから来ているから。三十三間堂とかにインド人連れていくとすごく受けるよ。この仏像って、ヒンドゥーではあれじゃない？　とか言って」

「こっちはシヴァで、こっちはヴィシュヌとか？」

「そう、そんな感じ」

深く考えずに多聞さんを誘ったけれど、ともにインドに深い縁を持つ仏像&多聞さんというコンビネーションはばっちりじゃないか、とわれながら驚いた。


さて、こうしている間にも、周囲には九人ほどのひとが集まってきた。

実はこの日は、ワークショップ形式で仏像鑑賞をすることになっていた。

前述の通り、白鳥さんはここ一〇年ほど視覚障害者と晴眼者が一緒に作品鑑賞を行う「セッション！」のナビゲーターをしてきた。せっかく白鳥さんが関西に上陸するのだから、ほかのひとにもこのユニークな体験をしてもらいたい。そこで、以前から「なにか一緒にやりたいですね」と話をしていた奈良県立図書情報館の乾《いぬい》聴一郎《そういちろう》さん（図書・公文書課課長）に相談すると、「やりましょう！」というお返事。同図書館が主催者となり、トントン拍子にワークショップが実現した。

奈良や京都、滋賀県から集まってきたのは、推定三〇代から六〇代までの男女九人。仏像が見たいというよりは、白鳥さんと作品を見ることに興味を持っているようだ。

簡単な自己紹介のあと、ぞろぞろと群れになって国宝館に入る。

館内は白と黒を基調としたモダンな内装で、たくさんの銅像が静かにライトアップされている。全体的には仄暗く、落ち着いた雰囲気だった。

しかし、わたしとマイティは、あれれ、これはまずいぞ、と内心焦っていた。国宝館の見学通路はかなり狭く、大人数で鑑賞するにはまったく向いていなかった。このままいくと、わたしたちはほかの見学者の邪魔になることは間違いない。さあ、どうする？

そのとき、すっと前に出たのは、マイティだった。美術館スタッフの経験を生かし、ほかのひとのために通路を空け、誘導し始めた。「どうぞゆっくりご覧ください」「こちらをお通りください」とほかのお客さんに声をかけ続けるマイティは、もはや国宝館のスタッフにしか見えなかった（今回マイティのコメントが少ないのはそのためだ）。


さて、最初に狙いを定めたのは、二体の鬼の像、《木造天燈鬼《てんとうき》立像《りゅうぞう》》と《木造龍燈鬼《りゅうとうき》立像》（一四六、一四七ページに写真掲載）だった。小さいけれど佇まいや表情がユニークで、足を止めたくなる魅力があった。制作されたのは鎌倉時代で、作者はかの有名な運慶の三男、康弁《こうべん》。興福寺には、康慶《こうけい》や運慶、その弟子たちからなる仏師集団「慶派《けいは》」の仏像がたくさん残されている。

天燈鬼・龍燈鬼は、文字通り「邪鬼《じゃき》」である。邪鬼が彫り込まれた像はほかの寺にもあるが、通常は仏の守護神の四天王たちに無残に踏みつけられ、ヒーローの強さを誇示するための哀れな悪役として登場する。昔話などでも、鬼たちといえば、退治されたり刀でぶった斬られたり。しかし、この国宝館では、珍しいことに大きな燈籠《とうろう》を持ち、すくっと立ち上がったような姿を見せていた。

わたしたちはこの鬼を見ることに決めた。

ワークショップの参加者は、それで？　いったいどうやって鑑賞するの？　と内心の戸惑いを隠すように誰もひと言も発さない。うん、わたしも最初はそうだったなと思い出し、「みなさん、まずは目の前にあるものがどんなものかを教えてください」と声をかけた。すると、なるほど！　と合点がいったようで、すぐに歌うようなリズムの美しい声の女性、Aさんが口火を切った。

「ええと、小柄な鬼が、小学生、いや幼稚園児ぐらいのサイズの鬼が立っていて、ウワーッていう顔をして、左手に燈籠みたいなものを持って、恐ろしい形相でこちらを睨《にら》んでます！」

わかりやすい描写に、白鳥さんも相槌を打った。

「もう一体の鬼のほうはどう？　あれ？　鬼の像はふたつあるんですよね？」

今度はシャツを来た男性Bさんが、「そうです」と答えながら、ふたつを比較する。

「右の鬼（天燈鬼）は体が赤くて、左の鬼（龍燈鬼）のほうは緑っぽい色なんですけど。両足を開いて、まっすぐ立って腕を組んだポーズで、頭の上に燈籠が載ってます。姿勢は、足を踏ん張っている感じ。さっきのほうが怖い顔で、こっちはユーモラスな顔で。それで肩に……なんだろう、龍のようなものが巻きついてる」

すると誰かが、「それは龍じゃなくて、蛇じゃない？」と指摘したが、「いや、やっぱり龍なのでは」とほかのひとが言う。蛇だ、龍だと言い合ううちに、白鳥さんが「なんか龍は大きいイメージがあるけど、大きさはどうですか」と聞き返す。

有緒　これは小さいよね。

女性Cさん　でも、これが実際に人間に巻きついていてたら、かなりビックリするぐらいの太さですよ。ニシキヘビくらいある！

多聞　うちの子にこれが巻きついたら青ざめます！

有緒　蛇にしては表情がありますね。

女性Cさん　うん、犬っぽい顔！

多聞　鬼と蛇の顔が似てるよね。目鼻立ちがそっくり。

さすが関西人、みんな言葉がポンポンと出てくる。場が温まってくると、鬼たちはどんどん親しみやすく見えてきた。肩に燈籠を載せた赤鬼は笑っているようにも見え、近所でよく見かけるおじさんに似ていた。わたしたちは、角度を変えたり、近づいたりしてよくよく観察した。すると鬼の目の部分に水晶が入っていることに気がついた。

多聞　この目が独特ですね。

有緒　光ってる？

女性Dさん　うん、光ってる。

多聞　石が入ってるのかな。

白鳥　へぇー。
女性Dさん　真正面に立ったらすごく輝いて金色……。
多聞　ちょっと黄みがかった、虎の目石みたいな色ですね。
白鳥　怖さが強調されるのかな。
有緒　いや、怖くはないかも。うん、怖くない。むしろ赤鬼のほうは出前してるみたい。
多聞　なるほど、岡持ちかあ。年越しが近いんじゃない？
有緒　今日に限ってなんでこんな忙しいんだよ、みたいな感じです。「はい、お待ちどう」って言いそう。いまラーメンがあの中に入ってて。
白鳥　ラーメンを運んでるんだ！（笑）

目の部分に水晶がはまっていることは、特に驚くべきことではなく、「玉眼」といわれる鎌倉時代を代表する仏像制作の技法である。仏像の目の部分を彫り抜き、中に水晶などを入れ、そこに瞳を描き入れる。そうすることで、まるで生きているかのように見せるワザだ。

鎌倉時代のはるか前から、仏師たちは仏像の「目」をどう表現するのかに心を砕いてきた。平安時代までは、「彫眼」という仏像にダイレクトに目を彫る手法で表現したが、平安末期から鎌倉時代以降は、この「玉眼」も広く用いられるようになった。

もちろん、みんなで鬼たちを見ていたときは、そんなことは知らなかった。だから、なんら知識もないまま玉眼に気がついたのはなかなかの観察眼だと自分たちを褒めてやりたい。

鬼たちの横には、一対の金剛力士像もあり、いずれも筋肉の盛り上がりや体つきのディテールが見事だった。鬼たちはサイズ感的には幼稚園児ほどだったが、やはり筋肉モリモリで、「こんな幼稚園児はいるわけがないよね」とマイティが言った。

多聞　むしろバングラデシュのレンガ工場にこういうひといますね（笑）。

有緒　確かに。やっぱり労働者なのかな。

女性Dさん　わたし、筋肉質のひとってあんまり好きじゃないんやけど、この金剛力士は、けっこうタイプやなあと。

白鳥　なんでこちらは大丈夫なんですか（笑）。

女性Dさん　なんでやろう。（筋肉のつき方が）ちょうどいい感じ（一同笑）。

女性Aさん　見せるために作った感じがない。

多聞　つくべきとこに筋肉がついていて、緩むところがちゃんと緩んでる。

軽いウオーミングアップ的に見始めた一対の鬼だったが、すっかり魅せられてしまい、二〇分ほど経っても、わたしたちはまだ鬼たちの前にいた。作品が持つ深い奥行きや考え抜かれたディテールがそうさせているのは明らかだ。おかげでかわいそうなマイティはずっと誘導係から抜け出せずにいた。

緑の鬼のほうを眺めていたハスキーボイスの女性、Cさんが関西弁で言った。

法橋康弁《木造天燈鬼立像》(1215年)
像高78.2cm

「こっちの鬼は、泣いているようにも見えませんか」

近づいて覗き込むと、確かに鬼の目は悲しげにキラリと光った。

「ほんとだ。涙を溜めてる。なにかに耐え忍んでる感じですね」とわたしは答えた。

「持ってるものが重いのかな?」とCさん。

そうか、鬼は泣いているのかもしれない。急に鬼がいじめられている子どものようにも見えてきた。かわいそうに、悪役である鬼は鬼でその理不尽な役回りにいつも耐え続けているのかもしれなかった。

一方で、隣の赤鬼をじっと見ていた男性、Eさんが「あれ」と声をあげた。

「見間違いかもわからないけど、両の目の間、額のところにも目がありませんか」

わたしたちは「えっ?」と驚き、再びみんなで赤鬼を取り囲んだ。

有緒　ほんとですね。確かに額になにかある。第三の目でしょうか。

白鳥　そこにも石が入ってるの?

男性Eさん　入ってるみたい。目と同じ大きさの、目玉ぐらいの石が入ってます。

白鳥　すごい、鬼は三つ目なんだ。

第三の目はよく見なければ気づかないほどさりげないものだった。形は丸っこく、目ではないと言われればそんな気もした。

果たして目なのか、それともなにか別のものなのか――。

「これまで何度もこの像を見てきたのに、わたし、今日初めて（この第三の目に）気がつきました」

女性Dさんが驚いたように言った。

法橋康弁《木造龍燈鬼立像》(1215年)
像高77.8cm

居場所を失った仏像たち

それにしても、国宝館には、ビックリするほどたくさんの仏像が安置されていた。

そもそもこれら仏像はなぜもとの居場所ではなく、「国宝館」に安置されているのだろうか。「国宝」レベルに大切なものだから別の場所に展示されている？　うん、もちろん、そうかもしれない。しかし、実は、それだけではない。国宝館の仏像たちは、この寺が創建以来一三〇〇年の間にかいくぐってきた数々の災厄のサバイバーなのである。

もともと天燈鬼&龍燈鬼がどこにあったのかといえば、西金堂《さいこんどう》にあった。西金堂には、ほかにも多くの仏像があり、興福寺のスター仏像である阿修羅像も元はそこに安置されていた。しかし、西金堂は享保二（一七一七）年に火災で焼失したあと、いまだ再建されていない。

もう少し遡ってこの寺の歴史を見てみよう。興福寺は七一〇年の平城京遷都に伴い、藤原氏の氏寺として藤原不比等《ふひと》によって建立された。平城京を見渡せる眺望に優れた立地にある広大な敷地に、見事な伽藍が時とともに整備された。

一方で興福寺は、度重なる大火で焼失しては、藤原氏の絶大な力により復興を遂げてきたという歴史がある。記録に残る火災は大小合わせて一〇〇回以上。その中で大きな被害を出した、治承四（一一八〇）年の平家の南都焼き討ちはよく知られている。平清盛の命を受けた武将・平重衡《たいらのしげひら》が討伐軍を率いて南都（奈良）に火を放ち、平氏政権の抵抗勢力だった興福寺や東大寺に壊滅的な被害をもたらした。しかし、その復興のときこそ仏師たちが活躍し、むしろたくさんの仏像が作られた。先に見た天燈鬼・龍燈鬼や金剛力士像もそのひとつだ。

災厄はその後も続いた。前述の一七一七年の大火災では、境内の西半分を丸ごと焼失し、中心的な施設である中金堂、そして鬼たちや阿修羅像が安置されていた西金堂も失われた。当時の火事の様子を想像して驚かされるのは、文字通り火の中に飛び込んでこの仏像たちを救い出した僧侶たちの姿である。そこには、幸運も重なった。資料によれば、いま国宝館で見ることができる阿修羅像や十大弟子などの仏像は、特有の脱活乾漆《だつかつかんしつ》という技法で作られ、仏像内部が空洞になっている。漆を大量に使い時間も手間もかかるので、財力がある寺でしか実現できない技法だ。幸いこの技法で作られた仏像は軽かったため、僧侶たちが抱きかかえて救い出すことができ、それゆえにわたしたちは時を超えて仏像を見ることができるのだ。

　やれやれ、よかった、よかったと思うのはまだ早い。寺の危機は、大火だけではなかった。明治初期の神仏分離とそこに続く廃仏《はいぶつ》毀釈《きしゃく》で、多くの仏像が破壊され、興福寺全体も混乱の渦に巻き込まれた。寺の領地は官有地になり、宗名《しゅうみょう》・寺号《じごう》を名乗ることも許されず、僧侶たちは寺を離れた。おかげで興福寺は一時的に住職がいない「無住」の寺となった。建物も壊され、廃寺同然に境内は荒れ、いまや寺のシンボルでもある五重塔が売りに出されるという噂すらあったという。

　しかし、興福寺の再興を望む声は根強く、明治一四（一八八一）年には復号許可が出て、荒廃に歯止めがかかった。そして明治三〇（一八九七）年には「古社寺保存法」が定められ、北円堂、三重塔、五重塔が特別保護建造物（現在の国宝）に指定されると仏像や建物の修繕が始まった。とはいえ、この混乱期の間には海外の美術館などに流れていったさすらいの仏さまもいる。

　というわけで、歴史的大火や動乱の時代をサバイブした仏像の安住の地が、国宝館なのである。創建から一三〇〇年以上を経た令和時代の興福寺は、天平時代の伽藍の姿を再現させるべく新たな復興のフェーズにある。いずれそのときがきたら、仏像の多くは、もともとの居場所に帰るのかもしれない。

千手観音の真の姿とは

次はいよいよ真打ち、《木造千手観音菩薩立像》（一五五ページ）を見ることにした。これは、ふだんの平家の焼き討ちのあとの「復興の大仏さま」として制作された。興福寺の仏像の中でも抜きん出て巨大で迫力があり、国宝館はその姿を両脇と正面の三方向から眺められるようにと導線がしっかり整備されていた。

「せっかくなので、それぞれの角度からじっくりと眺めていきましょう」とマイティが声をかけた。まずは、左横からじっくりと観察する。

白鳥　では、まず（千手観音が）どういうものかお願いします。

有緒　まずね、すごくデカい（笑）。ビックリするぐらい大きくて、これなんメートルぐらいですか。五メートルぐらい？

白鳥　五メートルもあるの？

男性Fさん　いや、四メートルぐらいかな。わたし、身長が一・八メートルなんで、その倍以上あると思います（笑）。

女性Dさん　え、一・八メートル？　いや、もっと（身長が）あるんちゃいます？（一同笑）

答えは、高さ約五・二メートルである。千手観音には全部で四二本の手があり、合掌する正面の手以外の四〇本の手すべてがなんらかの物体を持っている。

女性Cさん　手にいろんなものを持ってます。お掃除グッズみたいな（笑）。
白鳥　お掃除グッズ？
女性Cさん　ほかにも数珠とか鐘とかもありますね。斧とか。
白鳥　斧もある？
女性Cさん　花とか。
女性Dさん　それは蓮《はす》の蕾《つぼみ》ですね。
女性Cさん　あと、矢かな？　弓矢の矢とか杖も。

物体を持つ手は、それぞれが天上から地獄までの二五の世界を救うといわれる。つまり、四〇（手）×二五（世界）＝一〇〇〇（千）で、この場合の千は「無数」を表すらしい。まあ細かいロジックまではわからないが、とにかくありとあらゆる方法でありとあらゆる人々を救います！　ぜひぜひお願いします、というありがたい菩薩が千手観音なのである。

わたしたちは両脇から観音さまの体型や服装、持ち物、表情までチェックした。

男性Gさん　女性的な柔らかなラインですね。お腹がちょっと好きですね。お腹が膨らんでる。

女性Hさん　なんか本当に天国から迎えに来てはるように見えます。
女性Aさん　おへそが出てますね。
多聞　へそ出し（ルック）？
有緒　昨日読んだガイドブックに、何だっけ、観音さまは、仏像界のファッションリーダーって書いてあった。「オシャレが得意な仏像」ですとか。にしても、これだけ持ってたら、色々なことができるでしょう（笑）。
女性Hさん　そう、なんか万能。
有緒　家が壊れたら、すぐに直してくれそう（笑）。

最後に正面にまわり、改めて観音像と対面した。

「はい、では三カット目（正面）にまいりました。どうぞ。どんな様子ですか」と白鳥さんが旅行の添乗員のようなおどけた口調で声をかける。

正面から観音さまを見上げたわたしたちは、それぞれ息を呑《の》んだ。

これまでと驚くほど印象が違う……。

横から見ているときは優美でたおやかに見えていた観音像が、急に力強く、怖いほどの迫力で迫ってきた。高さ五メートル以上あるにもかかわらず、顔が下を向いていて、バチッと目が合った。

そうだ、横から見たときはわからなかったが、千手観音は人々を見下ろすかのように前かがみに立っていた。

「目が寄ってる。すごく集中している感じですね」とわたしが言うと、ほかのひとも「こんなに白目が赤かったのかな」と言う。ちょっと怖いほどの目力で、見る者を惹きつけて離さない。

有緒　すみません、千手観音って女性なんですか、そもそも。

男性Eさん　女性。観音さまは全部基本的に女性。

有緒　前から見ると、そうか、女性っぽくない強さがあるね。横から見るときは、女性的な感じだったのに……。

白鳥　それは表情のせいなの？

女性Hさん　表情と姿勢です。ドーンと真正面を向いて立ってる。

多聞　胸板が厚いね（笑）。だからガシッとしてて、男性的なんだ。

女性Iさん　お鼻もちょっと特徴的ですね。ちっちゃい団子鼻。丸くてかわいい。

そこで、多聞さんが思いついたように言った。

「なんかこういう感じの食堂のおばちゃんっていますね。食堂に入ると『はい、なににする？』とか無愛想に言われて。でも、何度も通ううちに、あ、こういう優しい顔もするんだ、みたいな」

食堂のおばちゃん……！

うわあ、確かに！　全員がわっと沸いた。

有緒　髪型が食堂のおばちゃんぽい。少しパンチっぽい髪型とか。
白鳥　あ、パンチっぽいんだ（笑）。
多聞　昭和のおばちゃんだ。
女性Hさん　不愛想だけど、仕事は速い。
有緒　このおばちゃんのチャーハンは、きっとうまい！
男性Fさん　手際よさそう（笑）。
マイティ　なんと食堂のおばちゃんを表現した千手観音だったか（一同笑）。
有緒　食堂のおばちゃんって言われると、急に観音さまが下界に降りてきた感じ。
多聞　わわ、もしかして僕、なんかまずいこと言っちゃったかなあ（笑）。
女性Cさん　あ、でも、そう言われると、さっき弓矢って言ったものはもう菜箸にしか見えない。
女性Hさん　じゃあ、あの瓶は、ソースとからしですね！
マイティ　左の四角いのはトーストみたい。

食堂のおばちゃんネタで延々と盛り上がるわたしたち。世界を救うありがたい観音さまを前にして、もはや言いたい放題である。

そんなちょっと不謹慎な一団の様子を、ひとりの僧侶がじっと見ていた。本日の鑑賞ツアーの進行を見守ってくれている興福寺の南俊慶《しゅんけい》さんである。

あ、もしかしてわたしたち、うるさいですか？　迷惑をかけてますよね？　と思い「すみませ

成朝ほか《木造千手観音菩薩立像》(1229年) 像高520.5cm

ん」と謝ろうとしたところ、それより先に「すごく面白いですね！」と言うので面食らった。

「え？　あの、すみません、勝手なことばっかり話しちゃって」

するとと、南さんは、「いやいや」と言いながら、「あながち間違いじゃないんですよ」と感心した表情で言うではないか。

間違いじゃない……というと？

「ここの千手観音さまはこの寺の食堂《じきどう》の御本尊で、以前は千手観音さまの前で僧侶が集まって食事をしてたんですよ」

えっ！

「ほんとですか　じゃあ、本当に食堂のおばちゃん……なんですね」

「そうです。だから本質的なところに迫っているなと。ほら、合掌もしてるし」

「そうか、合掌っていただきます、ってことですよね」

南さんの説明によれば、この国宝館自体が、もともと僧侶たちの食堂だった場所に建っている。

創建以来、二度被災し、その都度再建された食堂は、神仏分離と廃仏毀釈の嵐の中、明治七（一八七四）年、ついに取り壊されてしまった。その後、食堂の跡地には寧楽書院（現在の奈良教育大学）などが建設されたが、昭和三四（一九五九）年にかつての「食堂再建」の意味を込めて造られたのが、この国宝館だった。ほかの場所に置かれていた千手観音もここに戻り、本尊として立っていた場所と同じ位置、つまり建物の中心に立ち、訪れる人々を見守っている。

多聞　本当に食堂だったんだ。
有緒　この建物が。
マイティ　もしや。
女性Cさん　本当に。
多聞　やっぱり。
白鳥　面白い（笑）。

もはや驚きというよりも、なにか不思議なものに触れたような気持ちになった。多くの美術鑑賞ワークショップを担当してきたマイティは言った。

「こういうことってたまにあるんだよね。みんなで見ていると、知らず知らずのうちに作品の核心に近いところにたどり着いちゃうの。ひとりでそこまでたどり着くって難しいんだけど、みんなで色々と話しているうちに、『実はそうなのかも』というところまで行けちゃう。ひとりではなし得ないことが、大勢ではできる。だからほかのひとと話しながら見るって、やっぱり面白いんだよねぇ」

それは、科学的に見たら「集合知」と呼ばれるものなのかもしれなかった。集合知に関してはいくつか有名な実験があるが、そのひとつが「ゼリービーンズ実験」と呼ばれるもの。瓶に入ったたくさんのゼリービーンスの数を大勢のひとに当ててもらうと、最終的には全員の数を足して人数で割った「平均値」こそが実際の数に一番近くなるという驚くべき結果の実験である。別に美術鑑賞は科学実験ではないので、平均値をとる必要はまったくないのだけれど、それでもランダムに印象を話しているうちに作品の核心に近づいてしまう、というのはなかなかスリリングな体験だった。

その後は、三つのグループに分かれ、人気の阿修羅像、象の頭をかたどった冠をかぶる五部浄像、十大弟子（お釈迦さまの弟子たち）を見ていった。どのグループも話に花が咲き、仏像鑑賞ツアーは大成功のうちに幕を閉じようとしていた。

南さんは、終始にこやかな表情でわたしたちを見守り続け、最後にこう言った。

「考えてみれば、たくさんのひとがこの国宝館を訪問するのに、全盲の方を案内したという記憶はないですねえ。こうして、じっくりと仏像を見てもらえることが嬉しいです」

「全盲のひとはあまり来ないですか」

「残念ながら、あまり来ないですね。しかし、仏さまが信仰の対象になったその昔は、目が見えるとか見えないとか関係なく、ただみんなで手を合わせてきたのではないかと思います。そういうとき、昔のひとたちも、目が見えないひとに対して仏像の姿を伝えることはしていたと思うんです。だから、わたしたちはいま同じようなことをしているのかもしれない。そういう意味でも、この鑑賞ツアーはすばらしいと思いました」

嬉しかった。仏像を見にいこう、と呼びかけたわたしに高いモチベーションがあったわけでもなんでもないけれど、いつだって作品を見にいった先には新たな発見があり、人間同士の出会いがあり、一緒に過ごした時間の手触りはお互いの中に残っていく。作品を見たわたしたちの中に、そして美術館や博物館の方にも。

このとき、そうだ、と思いついて「観音さまって『音を観《み》る』と書くじゃないですか。あれはどういう意味なんですか」と質問した。

「そうですね、もともとはインドの言葉を漢訳しているので、漢字自体にはあまり意味がないこともあります。でも、観音のもともとの意味は、『あらゆる方向を見ている』とか、『人々をあまねく見る』ということです。観音さまについて書かれたお経には、『まなざし』について書かれた箇所があります。そこには慈しみの目でもって生きとし生けるものを［あまねく］見るとあるのです」

――あまねく――。

漢字で書けば、「普く」「遍く」「汎く」。それはつまり「広く、いきわたる」という意味だ。

「仏さまというのは、わたしたちが仏さまを見ているだけではないのです。仏さまもまたわたしたちを見ていると思います」と南さんは続けた。

そうか、千手観音はすべてのひとを「あまねく」救うために、世界の隅々まで見渡している。そうして、わたしたちが手を合わせて観音像を見上げるとき、彼女もまたわたしたちひとりひとりを見ているのだ。

そういえば、赤い鬼の額に発見した第三の目。あれは、いったいなにを見るための目なのだろう。もしかして、あの目はわたしたちしか気づいていない新事実だったりするのかも。

まあ、そんなわけないよねと思いつつ、家に帰ってから手持ちの本で調べてみると、「天燈鬼立像は二本のツノと三つの目を持ち……」と書かれていたので、別に世紀の大発見ではなかった（がっかり）。しかし、第三の目の意味までは書かれていない。なにか仏教的な背景があるのかもしれないとリサーチを始めようとしたけれど、すぐにその手を止めた。

まあ、いいや。答えはわからないままでも。

だって、こうしてみんなで作品を見る目的は、正解を見つけることでもなければ、白鳥さんに正しい答えを教えることでもなく、ましてや、全員が同じものを同じように見ることでもない。

それよりも、異なる人生を生きてきたわたしたちが同じ時間を過ごしながら、お互いの言葉に耳を傾ける。そうして常に「悪」とされる鬼だって、ときに涙を流すことを想像してみる。たぶん、それだけで十分なのだ。そうして、ひととひととの間にある境界線を一歩ずつ越えていこうとすることで、わたしたちは新しい「まなざし」を獲得する。それによって、世界を「あまねく見る」という優しさに、ほんの少しだけ近づけるのだと思う。

参考文献
多川俊映『蘇る天平の夢　興福寺中金堂再建まで。25年の歩み』集英社インターナショナル
金子啓明『もっと知りたい　興福寺の仏たち』東京美術

第7章

荒野をゆく人々

折元立身《アート・ママ》、ＮＰＯ法人スウィング《京都人力交通案内「アナタの行き先、教えます。」》、酒井美穂子《サッポロ一番しょうゆ味》、橋本克己《克己絵日記》ほか

「魅力的な美術館」というものを紐解いてみる。展示がいい、建物がかっこいい、立地が最高、コンセプトがいい。あとはなんだろう。歴史があるとか、ゆったりした雰囲気とか？　ひとりになってぼーっとできる場所、そんな理由もあるかも。ひとが美術館に惹かれる理由は色々だけど、この美術館の場合はいったいなんだろう。

「まあ、この美術館をひとことで表すなら、〝美術館らしくない美術館〟ですね」

学芸員の大政愛さんは、誇らしそうに言った。

その名も「はじまりの美術館」――。

夏の終わり、四歳になった娘と手をつなぎながら磐越西線《ばんえつさいせん》の猪苗代《いなわしろ》駅に降り立った。大きな湖と山にはさまれた猪苗代は、福島県の真ん中あたりに位置する。周囲にはスキー場やリゾートホテルもあるので、ハイシーズンはそれなりに賑やかなのだろうが、夏休みも終わりかけた午後の駅前ロータリーは、白昼ながら堂々と時を止めたかのようだった。

「なんだか、懐かしいなあ」

独り言のように呟《つぶや》くと、娘のナナオはきょとんとして、「なにが懐かしいの？」と聞き返した。

「ここらへんに来たことがあるんだよ。まだママが小さいころだけどね」

小学生のころ、家族四人で猪苗代湖に来た。いま振り返ると、あれが唯一の家族旅行だった。わたしの父は家族をまったく顧みない遊び人で、家族旅行という発想自体がなかった。しかし、わたしが一二歳になった夏、父がアマチュアの囲碁大会に出場することになり、珍しく家族四人でこのあたりまでやってきたのだ。猪苗代湖でボートに乗り、温泉宿で浴衣を着てご飯を食べた。うん、スナップ写真が実家に残っているので夢でも幻でもない。たった一泊だったけど、あの旅行があってよかった。なにがいいって、家族旅行に行ったことがないと思わずにすむのがいい。わたしは娘の手をぎゅっと握りながら、そう思った。

わけのわからない感傷が押し寄せようとする直前、「ヤッホー！」と一台のゴキゲンなクルマがわたしたちを迎えにきた。マイティと白鳥さんだ。計画当初、猪苗代にはわたしとナナオだけで来る予定だったのだが、いつの間にかふたりも「じゃあ一緒に行く」と水戸からジョインすることになっていた。それを知った夫のIくんは「なんかバンドのメンバーみたいだね。誰かがソロ活動するときも、メンバーが演奏にかけつけちゃうみたいな」と笑った。さらに今回はゲストに娘のナナオまでいるのだ。

ナナオには白鳥さんは目が見えない、ということを電車の中で話してあった。

「だからお話をして、周りになにがあるのかを白鳥さんに言葉で伝えるんだよ」と言うと、ナナオは、「え」と言ったまま三秒ほど固まった。まだ「目が見えない」という状態がうまく理解できないようだった。しかし、ナナオが目が見えないひとをまったく知らないというわけではなかった。

彼女が通う保育園にいる子の両親が視覚障害者で、よくお母さんが盲導犬を連れて保育園に来ていた。通園の途中で会うときもあり、「こんにちは」と声をかけて少しおしゃべりをした。「ほら、Jちゃんのお母さんと同じだよ」と言うと、ナナオなりになにかを理解したようだった。

美術館へは、駅からクルマで五分ほどである。

「確か、お蕎麦屋さんの裏なんだよねー」と、マイティは軽快にハンドルをきった。風格のある蕎麦屋さんの奥に進んだその先に、どっしりとした美しい蔵が佇んでいた。

それが美術館だった。

裸足で上がる美術館

「こんにちはー」と受付のメガネをかけた男性に声をかけると、そのひとが館長の岡部兼芳《たかよし》さんだった。気取らない普段着姿のせいかあまり「館長」には見えなかった。

えっと、館長自ら受付をしてるんですか。驚いていると、岡部さんはニコッとした。

展示室の方角に一歩を踏み出すと、「あ、そこで靴を脱いでください」と声をかけられる。わたしもナナオも靴下は履いていないし、スリッパもない……ということは裸足で入るのか？　考えている間にナナオは靴をポンポンと脱ぎ捨てて、奥に向かってだーっと走り去っていった。

「あ、ちょっと待って！」

裸足はきっとひとを自由にさせる力があるのだろう。わたしもあわててサンダルを脱いだ。

ここは、障害があるひとの作品を中心に展示する美術館である。

障害者によるアートは、一般的には「アールブリュット」と位置づけられる。そのフランス語の言葉を直訳すると「生《なま》のままのアート」で、専門的な美術教育を受けていない人々、既存の芸術教育や活動システムの外にいるひとの作品というように定義づけられる。英語の「アウトサイダーアート」も同じような意味だが、そもそもひとの背景や経歴をもとに「アウトサイダー」だの「生」だのと呼んでしまうのはむしろ美術界の排他性が如実に表れている気もして、あまり好きになれないが、定義があることでプラスに働くこともあるだろうから、まあそれについてはそっとしておく。

とはいえ、はじまりの美術館は、アールブリュットに特化しているわけでもなく、障害があるひとの作品も、世界的に評価されるアーティストの作品も、区別することなくフラットに展示する。開催中の企画展はこの美術館の五周年企画で、「わくわくなおもわく」という八組の作家が参加するグループ展だった。

やわからかい語感の展覧会タイトルに込められた思いを、企画・運営担当の小林竜也さんは、こう説明した。

「この美術館の開館からの五年間を振り返っていたときに、いろんなひとたちと一緒に美術館や作品を作ってきたなあと感じて、〝共同性〟をテーマに展覧会をしたいなと思いました。誰かと誰かが一緒にひとつのものごとに取り組むとき、実は関わるひとたちの思惑や気持ちはそれぞれ異なっていたりします。でも、みんながポジティブな〝おもわく〟を持ち寄って作品を作っていけば、ひとりでは思いつかないものが生まれたり、ひとりではなしえないことができたりします。それを、今回の展覧会では〝わくわくなおもわく〟と名づけました。『共犯性』とまで言ってしまうと言葉が強いかもしれませんが、〝わくわくなおもわく〟でともに事をなすことは、ある意味での共犯関係なんだと思います」

ひとりではなしえないことか。

なんだかバンド活動のようなわたしたちにぴったりの展覧会ではないか。展示室に入ると、廊下には無垢《むく》材のブロックが敷き詰められ、足の裏が気持ちよかった。

「ナナオ、ちょっとこっちおいでー」

わたしは娘に声をかけた。今日は、せっかくなのでナナオに白鳥さんのアテンドをさせたい。しかし、裸足の四歳はすっかり野生動物化し、勝手にあちこちを歩きまわっている。だめ、ねえ、ほら、おとなしくして。ね、今日は白鳥さんと一緒に歩こうよ、と声をかけても「歯を磨きなさい」と言われたときと同じくらい軽やかに知らんぷりされ、わたしの思惑通りに事が進む可能性は、限りなくゼロに等しかった。

介護だってアートになる

むきだしの蔵の壁がそのまま使われた展示室には、大判の写真作品がいくつも展示されていた。そのすべてに、白髪まじりの髪を風になびかせ、ゆったりした服に身を包んだ恰幅《かっぷく》の良いおばあさんが写っている。車椅子に乗っていたり、指を鼻に突っ込んだりと普段のスナップもあれば、直立不動でドラム缶に入っていたり、首から古タイヤをぶらさげたりしている写真もあった。
「この作品、すごく好きなんだ。これ、（作者の）お母さんだよ」とマイティが説明する。

作品シリーズのタイトルは、《アート・ママ》。

作者の折元立身《たつみ》（一九四六〜）は、もともと国内外の芸術祭や美術館で広く活躍するアーティストだったが、あるとき母親の男代《おだい》が認知症と鬱を発症。母と一緒に暮らしていた折元は、その後二〇年にもわたって介護を続け、制作活動は制限せざるを得なくなった。しかし、そうする中で「絵を描いたり、彫刻を彫ったりするのだけがアートではない」、「介護することもアート」、「食卓を一緒に囲むのもアート」という新しい境地に達し、母、男代と一緒に作品を作り始めた。

「そっか、これ、お母さんなんだ」

「ここにはないけど、お母さんが段ボール製の靴を履いている作品もあるんだよ」（マイティ）

スマホで検索すると、杖をついて立つ男代が不

折元立身《タイヤチューブ・コミュニケーション
母と近所の人たち》（1996年）

自然にバカでかい緑色の靴を履いた写真が現れた。
なにこれ、こんな靴じゃ絶対歩けないよね。ミッキーマウスみたいと思いきや、この《アート・ママ　小さな母と大きな靴》（一九九七年）は、二〇〇一年のヴェネチア・ビエンナーレで国際的な評価を得たそうだ。

年老いた母親に巨大な靴を履かせた理由を、折元はこう語っている。

ばあさんは子どものころから身長が低くて、朝礼では一番前に並んでいた。その時、前がパカッと破れた自分のゴム靴を先生にじっと見られて恥ずかしかったと言うんだ。貧乏で新しい靴は買えなかったから、背がもう少し高ければよかったと。だから、段ボールでこの大きな靴を作って履かせて、家の前で撮ったんだよ。（「介護は芸術だ　要介護の母をモデルに作品づくり」、ウェブサイト「NIKKEI STYLE」二〇一四年五月二五日）

「介護することもアート」と言う折元だが、これは介護の記録などではなかった。言うなればそれは「介護する」「介護される」を超えた、母と息子のふたりによる愉快なコラボレーションである。

ピカソが恋人のドラ・マールを描いたように、親しいひとをモデルにした作品は古今東西、枚挙に暇《いとま》がないが、認知症の母にポーズをとらせたひとも珍しいだろう。

男代は、一連の写真のなかで、座布団ほどの巨大なパンを持ったり、タイヤを首からかけたりと、日常では絶対にありえない奇妙なポーズをとっている。撮影される男代は無表情で、自身が「アート」になることを望んでいるかどうかはわからない。

マイティ　ガチの在宅介護って、本人にとっては辛いことも多いんだろうけど、作品にすることでユーモアが生まれるね。

有緒　タイヤを乗っけちゃうおう、パンを持たせてみよう。タイヤがなかったらただのスナップ写真だけど、タイヤがあることによって、認知症のお母さんがまた別の次元に変化する。すごいな……！

在宅介護をする折元は、インタビューの中で「何より大変なのは毎朝三時ごろ、ばあさんの叫び声で起こされること」だと話している。それでもふたりが生み出す作品にはあっけらかんとした明るさがある。ふたりは、「写真」というメディアを通じてわしっと抱きしめあっているようで、見ているこっちの胸はキュンとした。

ついに男代が亡くなったのは二〇一七年、九八歳のときだった。

気がつくと、傍らの白鳥さんは、ヘッドホンを耳にあて、折

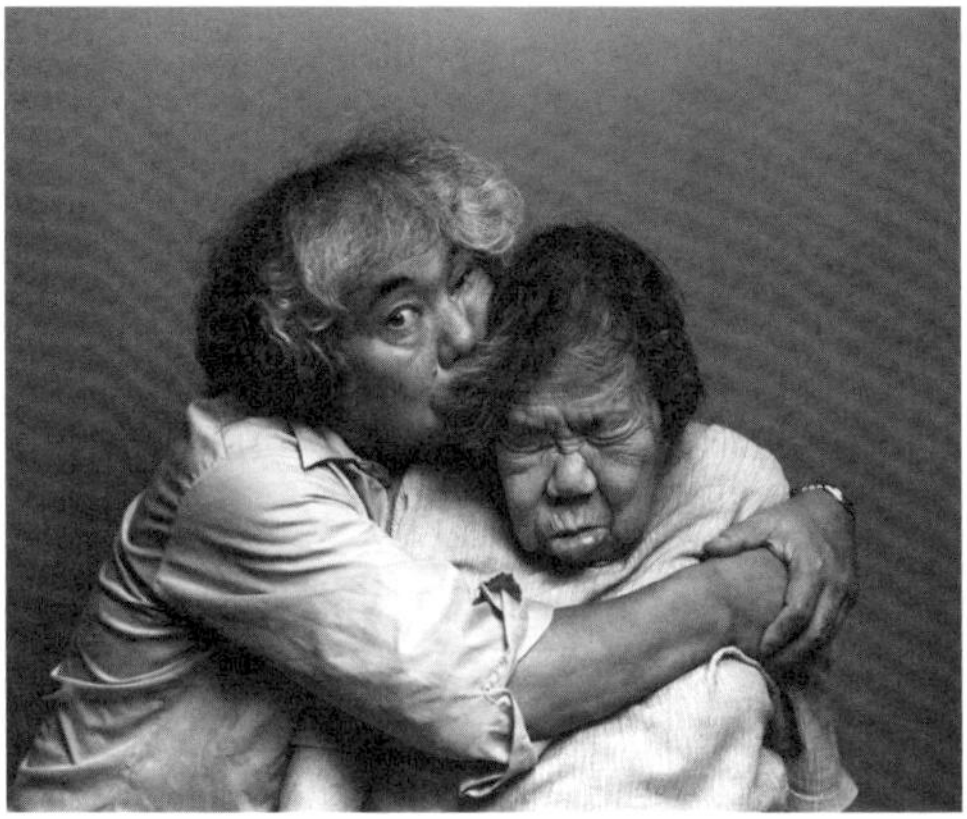

折元立身《アート・ママ＋息子》(2008年)

元の映像作品の音声を聞いていた。映像の中で折元は、何百人もの外国人のおばあさんたちと食卓を囲んでいる。

「面白い？」と聞くと、「うん、なんか面白いよ」と白鳥さんは答えた。

男代が亡くなる少し前から折元は、《アート・ママ》の概念をさらに広げ、おばあさんたちと地元の料理を食べる、というまったく新たなパフォーマンス作品を作り始めた。ポルトガルでは、地元のおばあさん五〇〇人を修道院に招き、ランチを振る舞った。折元はスープを取り分け、おばあさんたちとダンスし、生き生きと輝いている。

言ってしまえば、初老の男性が大勢のおばあさんたちと賑やかに食事をしているだけの映像だ。しかし、幸せな食卓というのはどうしてこんなに眩《まぶ》しいのだろう。

ゴミを拾うヒーロー

蔵造り特有の仄暗さに包まれた展示室の中で、目に入ってくるのは立派な梁《はり》。建物全体を支えるこの梁は一八間（約三三メートル）もある。建設された当時（明治初期）は、酒蔵として使われていたこの建物は、地元では「十八間蔵」という愛称で親しまれていたそうだ。時代の流れとともに、ダンスホールや縫製工場として使われていた時期もあり、美術館の候補地となったころは、近所のお蕎麦屋さんの倉庫になっていた。

そんな歴史を感じさせる美術館の目立つ一角に、異質な物体がどーんと出現した。いかにも安っぽい戦隊もののユニフォームを着たマネキンである。ゴレンジャー？　いや、違うか。ユニフォームの胸部分には「GOMI CORORI」というロゴがあり、手にするのは長いトングとゴミ袋。なんだろう、これもまた「共同性」をテーマにした作品なの？　よくわからんと思いながらさらに奥に進むと、今度はモニターに映像作品が映し出されていた。タイトルは《京都人力交通案内「アナタの行き先、教えます。」》（二〇一九年）で、作者はQ&XL（NPO法人スウィング）。映っているのは制服を着たふたりの男性で、京都駅付近で外国人旅行者や家族連れなどにバスの乗り継ぎを教えている。えーと、バス会社のひとがお仕事中なのかな？　と思いきや、そういうわけではないらしい。

学芸員の大政さんによると、この映像に出ているQ&XL（QさんとXLさんのふたり組）は、同

「GOMI CORORI」に登場するヒーロー、ゴミブルー（NPO法人スウィング）。

京都人力交通案内「アナタの行き先、教えます。」に出勤するQ&XL（NPO法人スウィング）。

じ施設に通っている。共にバスをこよなく愛し、超絶ややこしいといわれる京都のバスの路線図をカンペキに把握しているという特殊すぎる共通点があるという。そこで、この驚異的な能力を活用しようと閃《ひらめ》き、実行したのが、ふたりが通う「スウィング」の代表、木ノ戸昌幸だった。ふたりのためにわざわざお揃いの制服と帽子まで準備し、いざ三人で京都駅に出動！　実際の交通案内の様子を映したのがこの映像である。外国人からお年寄りまで次から次へと「わからない」「ヘルプミー」というひとが現れ、さらにはおすすめスポットなどを聞くひとも出現。

白鳥　こりゃあ、すごい！
有緒　最高、めちゃくちゃ面白い！
マイティ　首から下げた札に書いてあるのは『スマホじゃわからないこともある』だって。
白鳥　なるほどー、ハハハ！
マイティ　それと『いきかたはひとつじゃないぜ！』って書いてあるのもいいよね。〝いきかた〟って、〝行き方〟という意味もあるんだろうけど、そのほかに〝生き方〟という意味もあるんだろうな。
有緒　すごい、深い！

この交通案内は、ボランティアなのか趣味なのかアートなのか、もはやその線引きは誰にもわからないけれど、とにかくコメディみたいで、白鳥さんもかなり気に入っていた。

共に療育手帳を持っているので、Q＆XLは世の中的には障害がある人ということになるのだろうが、そんなことは関係なくふたりの能力はもちろんスゴい。同時に一見無駄そうな知識をちゃんと有効活用しようと閃き、実行に移した「スウィング」の発想力にも感心してしまう。

ということは、さっきの戦隊モノのGOMI CORORIも、同じような作品なのだろうか。

改めて解説を読むと、まさにそうだった。「スウィング」では、施設に通う人々、そして周囲にいるひとたちが、障害のあるなしに関係なく、ただビシッとローカルヒーローの格好に身を包み、「ゴミブルー」として街に出動している。いつもと異なる格好をすればゴミ拾いのテンションが上がり、さらに社会の役に立つというわけ。それでも、京都のしっとりとした風景の中においては格好が非日常すぎたのか、活動を開始したばかりのころは、警察に通報されたり、パトカーに取り囲まれたり、子どもに泣かれたりしたらしい。それでも、活動を続けるうちに、近所のひとたちに声をかけられ、「ありがとう」と感謝されるようになっていった。

マイティ　確かに、大人数でこの格好してたらさあ。

白鳥　怪しいよねー。

有緒　それでも、ずっと同じ格好をすることで認識されるんだね、あのブルーのひとたちはいいことしているひとたちだって。

マイティ　みんな首から財布みたいなものを下げてるけど、あれはなんだろう。

そこにはゴミブルーたちの名刺が入っている。なるほど、そうやって近隣のひとたちに名前を覚えてもらえば、次からは「こんにちは、○○さん」という挨拶に変わり、路上ですれ違うひとたちが知り合いになる。これもまたワクワクすると同時に、とても意義深い活動だった。悲しいことに、日本において障害者福祉施設は必ずしも地域で歓迎されるわけではないのが現実だ。しかし、こうして顔見知りになることで施設も地域も少しずつお互いに対してひらいていく。

これらの「スウィング」の作品と折元の《アート・ママ》は、考えてみるとよく似ていた。社会で「弱者」と呼ばれる人々の手をとり、ユニークな存在に変身させ、一緒にとことん楽しんでしまう。アングルを変えれば、介護も福祉もアート作品になるのだ。

表現の力で世界を照らす

展示の途中で、色とりどりのおもちゃのブロックが置いてあるコーナーがあった。《搬入プロジェクト》(悪魔のしるし)という作品の一部で、誰もがブロックで自由に造形物を作ることができる仕掛けだった。これがナナオに大ヒットし、白鳥さんも「俺、こういうのけっこう好き」と言うので、四人で時間をかけてブロックでいろんな形を作った。白鳥さんが作るブロックの形は複雑で、おお、これをこういう風に繋げてくるかという驚きがあった。

ナナオはわたしたちが展示を見ている間じゅうこのコーナーに入り浸っていた。しまいには、学芸員の大政さんが工作用の色鉛筆や紙まで出してきてくれた。
「すみません、ありがとうございます！」と言いながら感動が湧き上がった。一般的には、子連れで美術館に行くのはけっこうハードルが高い。でもここなら子連れや、身体が不自由なひとでも気後れすることなく来られる。間口は狭いけれど、懐はでっかい美術館だった。

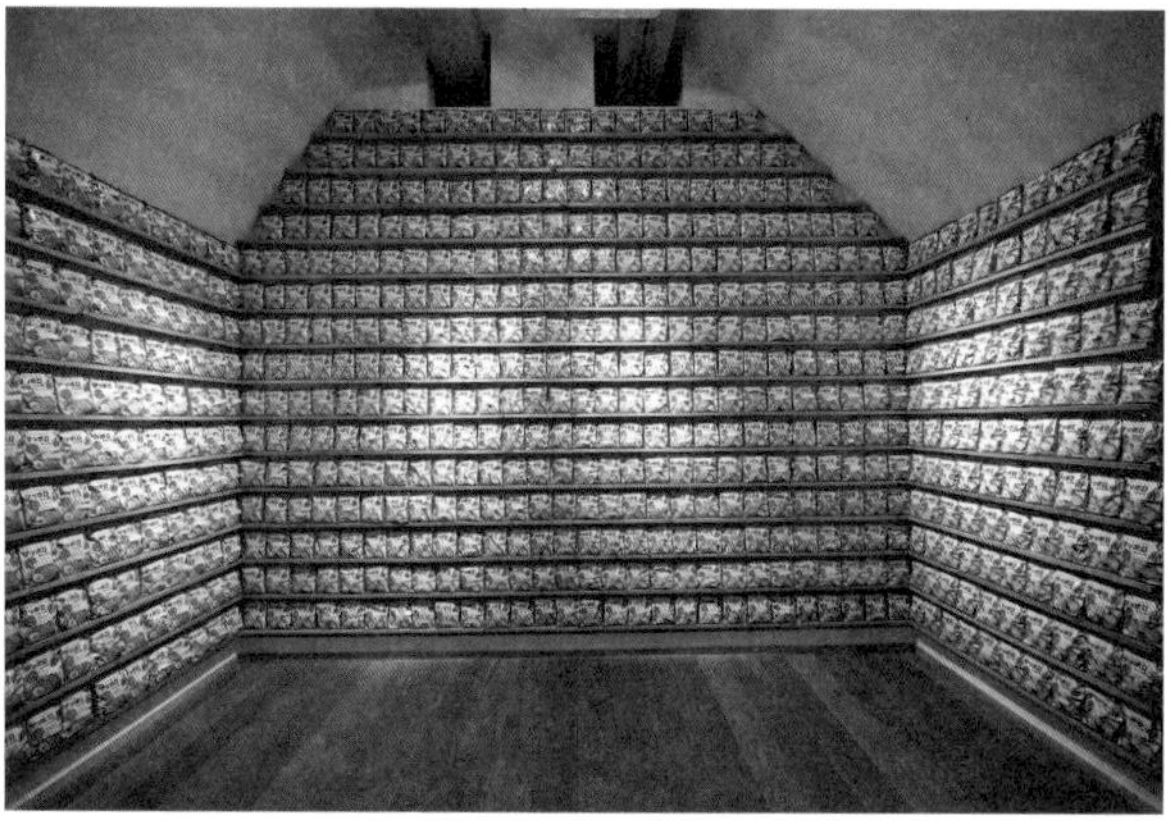
酒井美穂子《サッポロ一番しょうゆ味》(1997年〜)

　このようなユニークな美術館を立ち上げたのは、知的障害などを持つひとたちの支援を行う社会福祉法人「安積《あさか》愛育園」である。館長の岡部さんは、もとはそこの生活支援員だった。
なぜ社会福祉法人が美術館を立ち上げたのだろうか。
「福祉事業所ではみんなで作業を行うのですが、なかには作業が苦手なひともいるんですね。どうやったらそういうひとの毎日を充実させられるだろうかと考える中で、アート制作が始まりました。やってみたら、びっくりさせられるような作品が生まれることもあって、固定観念がひっくり返されました」
　その一例は、以前この美術館でも展示されたある作品。写真を見ればわかる通り、インスタントラーメンの袋がずらーーーーっ！　と壁一面に並んでいる。

有緒　ななな、なんですか、これは？

大政　酒井美穂子さんの《サッポロ一番しょうゆ味》です。酒井さんは、「やまなみ工房」という福祉施設に通っている方ですが、サッポロ一番の醤油ラーメンのパックを触るのが好きなんです。

有緒　ほほう？

大政　二〇年にわたって一日中ラーメンの袋を握りしめているんです。しかも味噌味や塩味はダメで、醤油味オンリー。「やまなみ工房」のスタッフは、これもひとつの表現の形だろうということで、酒井さんが握りしめたラーメンに日付をつけて保管していたそうです。

有緒　これもひとつの表現……確かに、そうなのかも。

こういう圧巻の作品を目にして、「障害者に対する目が変わるひともいますね」と館長の岡部さんは朴訥《ぼくとつ》とした口調で言う。

「だから、美術館を始めた当初は、障害のある方の作品を見てもらうことで、障害者のイメージを向上できるのではないかと、アートを〝イメージの転換装置〟のように見ていたときもありました。でも……こうして開館から五年が経ってみると、自分たちがアートに惹かれるのは、まったく別の軸だなと思うようになったんです」

別の軸とは、いったいなんだろうか。

「それは、みんなが生まれつき持っている表現の力です」

――表現の力？

『『表現の力』に障害のあるなしは関係ないのです。ここでは、障害の有無に関係なく一緒に作品を展示し、鑑賞してもらうことで、むしろ『障害とはなにか』を考えるひとつのきっかけになるのかなと思うようになりました」

表現の力は誰にでもある。

「そうですね」とわたしは答えた。

なにをもってして「表現」と呼ぶのかという問題にもぶちあたるが、広く捉えれば、わたしたちの日常の行動のすべてが表現と呼べるのかもしれない。写真や絵、音楽などのいわゆる表現活動はもちろんのこと、どう働くのか、どんな料理をするのか、SNSでなにを伝えるのか、なにを買うのか、なにを捨てるのか。そういうすべてが表現といえば表現である。数え切れないほどのラーメンの袋もゴミ拾いも、すべて――。

表現はみんなが生まれつき持っている力、という言葉は、それはもう気持ちいいくらいに、すとんと腑に落ちた。

「障害者」とひとことで言っても実に様々なひとがいる。

バスの路線図をすべて覚えているひともいれば、会話とともにアートを見るひともいる。ほかにもひとつの言葉を延々と書き続けるひとや、マニアックなアイドル情報を収集するひと、即興の詩を作るひと、複雑な刺繍《ししゅう》作品を何年もかけて作るひとにも会ったことがある。それらの「表現」の源流にあるものは、障害の有無とは関係がなく、ひとりひとりの内なる光だった。

この美術館は、人為的に作られた人間同士の境界線を踏み越え、誰もが放つ異なる色の光で世界を照らそうとしているように見えた。そういうことか――。

ええと、ここらへんで、正直に告白したいと思う。以前、「はじまりの美術館」の存在をなんかの本で読んで知ったとき、心のどこかでこう思っていた。

――ふーん、蔵を改装した美術館ってよさそうだけど、もしかしたら作品自体はそんなに面白くないのかも――

ええ、その通りだ。これこそが障害があるひとへの先入観、そして偏見による決めつけだった。表現する力とかなんだかんだと偉そうに書いたものの、なんのことはない、四〇代にもなっていまだに先入観に縛られた恥ずべき自分に対しての戒めの言葉としてわざわざこれを書き記している。

わたしの人生を振り返ると、障害を持つひとと出会い、友人として付き合う機会はとても少なかった。何年もアメリカやフランスに住み、「外国」という異文化をマイノリティの立場から知っているつもりでいたけれど、日本に戻ってしまえばある種のマジョリティの側で安穏とあぐらをかき、ありもしない障害者像を漠然と心に植え付けたまま過ごしてきた。ああ、なんか落ち込みだそうだが、幸いにして人間は何歳になっても変わることができる。古臭くてしょうもない昨日の自分をぶっ壊し、古い価値観をゴミ箱に放り捨てながら、この瞬間にもなりたい自分に近づくしかなかった。ここに来られてよかった。

ちょっと話は変わるが、いつもに比べると今回は、白鳥さんやマイティの言葉を断片的にしか拾えなかった。それはひとえにナナオが理由である。さきほども書いた通り、今回はナナオに白鳥さんのアテンドをさせてみようと企《たくら》んでいたのだが、そんな「わくわくなおもわく」はあっさり裏切られた。ナナオをひっつかまえて「ほら白鳥さんになにが見えるか言ってごらん」と促しても、ナナオは「やだ、あっち」と言って、ブロックのコーナーに走り去っていった。

当たり前だけど、四歳は忖度《そんたく》しない。それは相手が盲人でも同じだ。ナナオにとって白鳥さんは障害者でもヘルプを必要とするひとでもなく、ただそこにいるひとにすぎなかった。だから、いともあっさり「やだ」と言い放てる。それは、関心や知識の欠如でもあり、裏返せば偏見のなさの表れでもある。四歳が見る世界は、いい意味でまだまだものごとの輪郭がぼんやりとしているのだ。

だから一方の白鳥さんにしてみると、こうして爽やかに素通りされることも、別に悪い気分ではないと言う。障害者がいる場では、どうしてもそのひとが話題や行動の中心になってしまうことが多々ある。また、障害者のひとに対して過剰に気を使ってしまうひともいる。

実は自分も白鳥さんに会ったばかりのころは、こんなこと質問したら悪いかな、変な言い方で傷つけてしまわないかな、こんな料理は見えないひとには食べにくいかも……などと勝手にぐるぐるもやもやと気をまわしていることがけっこうあった。そんな「いきすぎた気遣い」という名の過剰包装をやめるようになるにはちょっとした経験と時間が必要だった。そんなものは必要がないんだよ、と教えてくれたのもまた飄々《ひょうひょう》と生きる白鳥さん、そして誰に対してもオープンな態度のマイティだった。優しさや気遣いも、いきすぎてしまえば偏見や差別になる。

小学生のころからわたしたちは道徳の授業なんかで、困っているひとには優しくしましょう、な

ど と教えられる。そこにあるのはもちろん良き意図なんだけど、あの「優しくしましょう」もまた、「助けるひと」「助けられるひと」「感謝するひと」「感謝されるひと」という関係の固定化や分断のスタート地点だったのかもしれない。

しかし、四、五歳といった幼い子どもたちは、そんなの関係ないもんね！　という態度である。かつて白鳥さんが子ども向けの鑑賞ワークショップのナビゲーターを務めたとき、子どもたちはやがて白鳥さんそっちのけで作品に夢中になってしまったという。でも「それはそれでいいなと思う」と白鳥さんは言う。

未確認迷惑物体

やたらと濃密な展覧会を見終えようとしたころ、ふいに目に入ってきたのが《絵日記》と大きく書かれた手作りののぼり旗だった。

周辺の壁には、ちょっとコミカルな雰囲気のイラストが描かれた紙が何十枚も展示されている。中心的に描かれているのは車椅子に乗った男性で、その日記の作者らしい。

じっと見ていくと、これがまたなんとも気になる作品なのだ。作品の半分ほどは、比較的はっきりとした図柄の絵が続いている。男性は車椅子でお店に行ったり、川辺を散歩したり、郵便物を出したり。しかし、残りの絵では、そのタッチが抽象化し、何本かの線や図形、「バス」「山下」「来」などいくつかの断片的な言葉で構成されていた。束ねた紐がバラバラにほどけてしまったような絵で、見ていると心細い気持ちにさせられた。

なんだろうね、うん、そう言いながらわたしたちは作品に見入った。

説明文によると作者の橋本克己は、弱視や難聴、下半身麻痺《まひ》などの重度の障害をもって一九五八年、東京で生まれた。言葉が不自由で、周囲とのコミュニケーションがスムーズにとれず、学齢になっても就学免除となり、一九歳になるまでほとんど外出することなく自宅の一室で過ごしていた。

（上の２枚）
橋本克己《未確認迷惑物体 - 愛と闘いの日々（橋本克己絵日記シリーズ）》(1979-2000年)
（下の１枚）
橋本克己《街への贈り物（橋本克己絵日記シリーズ）》(2019年)

「家の奥の部屋にこもっていたころの画伯（注・橋本のこと）は、毎日4時に食べると決めたパンが数分遅れて出されただけでパニックになり、家族に暴力をふるい、家中の物を壊し、泣きながら這《は》って庭に降りたりしていました。だから当時、家族は画伯を入所施設に入れて共倒れを防ごうとまで追い詰められたのです」（作品解説パネルより）

それはもう本人にとっても家族にとっても大変な日々だったことだろう。橋本が一〇代のころ、つまり七〇年代はまだ「バリアフリー」「ノーマライゼーション」といった概念も日本では浸透しておらず、重度の障害者が外に出かける機会は物理的にも精神的にも制限されていて、当事者にとっても家族にとっても厳しい状況が強いられていた。

しかし橋本は、一九歳のとき埼玉県越谷《こしがや》市にある「わらじの会」と出会う。「障害のあるひともないひともいっしょに街の中で生活していこう」をモットーとする会に大きくあと押しされ、橋本は初めて越谷の街に繰り出した。彼は、目の前に広がる街の日常やざわめき、香り、ひとやクルマの往来、そのすべてに魅了されたようだ。それからは自ら車椅子を操作してコンビニに寄り、国道を渡り、郵便局や役所に行き、時には電車に乗ったり夜遅くまで出歩いた。

わたしたちの目の前には、そんなときめき溢れる毎日が描かれた絵日記があった。一枚一枚の絵から近所のひとや見えた風景、起こった出来事など、橋本をとりまく日常が浮かび上がってくる。「絵日記」と聞くとほっこりした印象だが、よく見るともう命がけのギリギリの出来事も記録されている。例えば交通事故もそのひとつ。なんと橋本は、しょっちゅう交通事故に遭っていた。国道もバイパスもゆったりとしたスピードで堂々とド真ん中を進む橋本は、常に渋滞を巻き起こした。橋本は耳が聞こえないので、いくらクラクションを鳴らされても華麗にスルー。おかげで周辺を走るタクシーは無線で「車椅子のアンちゃん出現！　この先渋滞が予想されるので迂回《うかい》してくださ い」と伝達し合っていたとか。

クルマとの接触事故は日常茶飯事で、足をタイヤに轢《ひ》かれて入院したり、怒ったトラック運転手に殴られたりしたこともあった。橋本はそんなアクシデントも含めて絵日記に綴り続けた。

周囲の人々にとって街は日常生活の場にすぎないが、橋本にとって街は混沌とした荒野のような場所だった。そして、一見すると無謀な橋本の行動の背景には、それをドキドキしながら見守ってきた人々がいた。橋本の家族、知人、わらじの会のスタッフ、駅員やコンビニの人々など。事故や事件が起こるたびに、わらじの会の人々もしょっちゅう助けに駆けつけることになり、スタッフのひとりはユーモアと愛を込めて橋本を「未確認迷惑物体」と呼んだ。絵日記には、そういったひとたちまで入り込んでいた。これもまた言うなれば「共同性」をベースにした「わくわくなおもわく」だった。

制作の年代が進むにしたがって絵がシンプルになり、抽象化していくのは、弱視が進行したためだ。ほとんど見ることができなくなっても、橋本はほかの感覚を駆使して絵日記を描き続けた。絵は、彼にとって言葉そのものだった。

白鳥さんが美術館にひとりで行こうと決意した日のことをまた思う。

「自分は全盲だけど美術館で絵を見たいんです、お願いします」と電話をかけ続けた白鳥さんもまた、美術館にとっては未確認困惑物体とでもいうべき存在だった。しかし、中には「よし、一緒に見てみよう」と思うひともいて、「わくわくなおもわく」は始まった。いまや前述の「セッションン！」だけではなく、視覚障害者と一緒にアートを見るワークショップはいくつもの美術館で行われ、多くの見えないひとが会話を通じてアートを楽しんでいる。しかし振り返れば、それはひとりの全盲の男性が美術館に電話をかけ、何度も断られながら「そこをなんとかお願いします」と頼み続けたことから始まっている。あの日から二五年近くが経過した現在、白鳥さんはもはや「未確認困惑物体」ではなく、大勢の美術館訪問者のひとりにすぎない。

わたしたちの人生には、それぞれの未知なる荒野がある。それはあるひとにとっては北極やヒマラヤの山々だし、またあるひとにとっては遠い異国への旅だ。わたしにとっては、二二歳でアメリカに移り住むことが荒野への一歩だった。それと同じように、近隣の街なか、美術館もコンビニも、歩き方や目指す場所を変えれば荒野になる。

そうやって自分の安全地帯を抜け出して、自らの手足で世界をまさぐりながら、わたしたちはこの世でただ唯一の「自分」という生を獲得していく。そうしていくうちに、そのひとが荒野にいることは自然なこととなり、荒野だった場所はそのひとにとって居心地の良い場所へ変わっていくのかもしれない。

《京都人力交通案内「アナタの行き先、教えます。」》などの作品を生み出したNPO法人スウィングの代表、木ノ戸昌幸は著書の中でこんな風に書いている。

スウィングのモットーのひとつに「ギリギリアウトを狙う」がある。だから始業時間はまちまちだし、眠くなったら昼寝をすることが奨励されているし、特に理由もないのに休みを取る人には拍手が送られる。知らぬ間に僕たちの内面に巣くってしまった窮屈な許容範囲の、ちょっと外側に勇気を持って足を踏み入れ自己規制を解除し続けることで、かつてはアウトだったものが少しずつセーフに変わってゆき、「普通」や「まとも」や「当たり前」の領域が、言い換えれば「生きやすさ」の幅が広がってゆく。（『まともがゆれる　常識をやめる「スウィング」の実験』）

時代や社会の動き、変わりゆく常識やルールの中で、常にアウトとセーフは激しくせめぎ合っている。例えばバスに乗ることひとつをとってもそうだ。バスでは車椅子やベビーカーをたため、迷惑をかけない範囲で利用せよ、助けてもらったら感謝せよ、と考えるひともいるが、そもそもその前提がおかしい。公共交通機関であるバスには誰もが堂々と乗っていいはずで、それは、「交通権」として憲法が定める基本的人権のひとつである。それなのに、なぜかこれをマナーやルール、感謝や思いやりの問題にすり替える議論がいかに多いことか。いやいやいや、これはそもそもアウトなんかじゃなくて、セーフだし、むしろど真ん中のストライクなんですよ、と主張しないといけないこともまたおかしい。でも、主張を続けることもけっこう疲れるから、わたしも重たいベビーカーを押していると、ほかのすべてが面倒に感じて、「迷惑かけるな」「感謝しろ」論の内側に取り込まれそうになる。でも「いいよ、一緒にバスに乗りましょう」と、ひとりひとりが自分の中のセーフゾーンを広げられたら、この世界はより居心地のいい場所になっていく。

さきほども書いた通り、スウィングが始めた「京都人力交通案内」はただの親切な活動で、それ以下でもそれ以上でもない。だから、謎の制服姿のQさんとXLさんがバス乗り場をウロつき始めた当初は、駅の警備員も戸惑いや疑惑の目で見ていた。これは親切なのか、はたまた路上の迷惑行為なのか。そういうギリギリのラインにQ＆XLのふたりは立っていた。それはスウィング流に言うと、狙った「ギリギリアウト」。そこにあえてピンポイントでボールを打ち込むことで、わたしたちは上滑りする言葉の上の「多様性」や「豊かな社会」から一歩先の荒野に足を踏み出すことができる。それこそが本当の意味で豊かさの境界線をぐいぐいと押し広げていくことになる。

しかし、そうやって広がっていったセーフゾーンもある半面で、いつのまにかセーフが「アウト」に変わってしまった場所もあったりする。そうやって、時代とともに息苦しい場面もまた増え続けていることも否定しようがない現実だ。

湖が見たくて

タイヤを首から下げたおばあさん、誰にも頼まれない交通案内など、一見すると奇をてらったような作品でも、その奥にあるのは自分という生を表現したいという切実な思いや激しい衝動だった。それを真正面から受け止め、世にそっと送り出す美術館がここにある。

「思いを受け止めながら展示を企画するというのは、本当に大変なことですね」

わたしは圧倒されながら岡部さんに尋ねた。

「そうですね。でも気をつけないといけないのは、必ずしも表現したくてするひとばかりじゃないことです。どうしようもなくてやる、というひともいます。以前、『目』がたくさんある作品を描いている方がいました。そのひとは、目が好きなわけではなく、むしろひとの視線が怖くて目に恐怖心がある。でも、自分の外にそれを出して、表現することによって、安心するらしいです。だから、わたしたち美術館は、常にそのひとがやりたくてやっているのか、と疑わないといけないと思います。好きで描いているのか。怖くて描いているのか。そこには、そのひとなりの気持ちがある」

愛も喜びも悲しみも恐怖も――。

言葉では言い尽くせないたくさんの複雑な感情を織物のように編みながらこの美術館はどっしりと立っている。帰途につくころには、居心地のいい友人の家を訪ねたような気分になっていた。

帰り道、ナナオの「湖がみたいよー。まだナナたち、湖をみてないよ」という熱いリクエストにより、猪苗代湖までドライブすることになった。すでに夕暮れで、日没までに着けるかはギリギリだったけど、マイティが「あいよー！」と軽快にクルマを走らせた。

磐梯山が見える道中で、白鳥さんは何気なく呟いた。

「俺さあ、思ったんだけどさ、障害ってさあ、社会の関わりの中で生まれるんだよね。本人にとっては障害があるかなんて関係ないんだよ。研究者や行政が『障害者』を作り上げるだけなんだよね」

そうだよなあ。本来ならば、誰もが「未確認迷惑物体」にならない社会がいい。

湖の近くまで着いたものの、湖畔まで続く道がわからず、仕方なく湖畔に立つコンビニの裏手にまわってなんとか湖のはじっこを眺めた。

「ねー、みてごらん！　きれいだねー」

ナナオがはしゃいだ声を出した。うん、そうだねと答えながら、ここに連れてきてあげられてよかったなと思った。

夏の夕暮れ空に細長い雲がたなびき、静かな湖面に映っていた。

「空がきれいだよ。湖面に映ってる」と白鳥さんに伝えた。

雲を追い抜こうとするように、夕暮れの涼やかな風が吹いた。冬には白鳥が飛来するようだが今は夏なのでいなかった。

三五年ぶりに見た猪苗代湖は、思い出のなかと同じくらい美しかった。

参考文献

「介護は芸術だ　要介護5の母をモデルに作品づくり」ウェブサイト、「NIKKEI STYLE」二〇一四年五月二五日

木ノ戸昌幸『まともがゆれる　常識をやめる「スウィング」の実験』朝日出版社

橋本克己『克己絵日記』千書房

読み返すことのない日記

第8章

ジョン・ヨンドゥ《ワイルド・グース・チェース》《マジシャンの散歩》

白鳥さんはほぼ毎日散歩に出かける。そして散歩をしながら写真を撮る。愛用しているのはコンパクトなデジタルカメラ。右手に白杖を持ち、左手でカメラをお腹のあたりにかまえてシャッターを押す。モニターは覗かないから、ほかのひとには写真を撮っていることはわからない。

通り過ぎていく自転車、屋根の端っこ、女子高生たちの後ろ姿、きらめく太陽、水戸芸術館の塔、飲み屋のカウンター、滲《にじ》んだネオンサインや街灯の光……。夜や室内ではピントがぼけた写真も多く、思いっきり斜めの写真もある。

「読み返すことのない日記」と白鳥さんが表現する写真の数はいまや四〇万枚にもなる。しかし、誰かに見てもらいたい、発表したいという願望は薄そうだ。「せっかくだからインスタとかにアップしてみたら」と言ったのだが、うん、まあ、そのうち、と曖昧に答えるばかりだ。誰に見せるわけではない。あとから見返すわけでもない。そんな写真がハードディスクの中に溜まっていく。

白鳥さんがひとりで散歩しているところを見たことがある。ぶったまげた。とても速く歩いていた。街の音に耳を澄ませ、道路の出っ張りや電信柱で位置を把握しながら、信号を大股で渡り、角を曲がり、スーパーやコンビニに入っていく。あまりのスピードにわたしはあとからついていくのがやっとである。いまさらながら、いつも一緒に歩いているとき白鳥さんは、わたしやマイティに歩調を合わせてくれていたことに気がついた。

しかし、彼の行く手には障害物も多い。歩道に乗り上げて停車するクルマや、はみ出した看板、目の前を横切る自転車。横から眺めているとヒヤッとさせられるが、白鳥さんはただシャッターを押し、そういうすべてが写真の中に収まっていく。ちなみに点字ブロックは写っていたり、いなかったり。彼が歩くのは点字ブロックがあるところだけではない。

捕まえられないものを追いかける

白鳥さんの写真を使って、作品を作ったアーティストがいる。韓国の現代美術家のチョン・ヨンドゥ（一九六九〜）だ。

二〇一四年のある日、水戸芸術館での個展を準備するために水戸に長期滞在中のヂョンが、キュレーターと一緒に白鳥さんのマッサージ店にやってきた。ヂョンは、全盲でありながら写真を撮っているひとがいると聞き、興味を持っていた。白鳥さんが撮りためてきた写真を見せると、ヂョンは大喜びし、その日はそのまま帰っていった。そして数日後、ヂョンが再び現れたときには、手には新品のデジタル一眼レフカメラがあった。

「このカメラをプレゼントします。どうせ撮るなら良いカメラで撮りませんか」

白鳥さんは素直にカメラを受け取り、お礼代わりにとそのカメラで撮影した写真を韓国に戻ったヂョンに送った。こうして生まれたビデオ作品が《ワイルド・グース・チェイス》（二〇一四年）だ。

わたしは、たびたび《ワイルド・グース・チェイス》の話を白鳥さんから聞いていたので、いつか見てみたいと思っていたのだが、現代美術のビデオ作品というのは展覧会を逃してしまうと見る機会がなかなかない。

諦めていたのだが、「じゃあ、ヨンドゥさんに直接頼んでみたら」と白鳥さんが提案してくれた。おお、直接頼むか、なるほどと思い、ためしに英語で「作品を見せてもらえませんか」とお願いのメールを送ってみると、なんと翌朝にはリンクが貼られたメールが届いていた。そこには「連絡をありがとう、白鳥さんによろしく伝えてほしい」という言葉まであった。それを読んだ瞬間、胸がほわっとした。白鳥さんにそれを伝えると、喜んでいた。

「何だか会うだけで嬉しくなっちゃうようなひとなんだよねぇ！　会って挨拶して、握手したら満足みたいな感じで、話すことが無いのか、話さなくても十分なのか……、そんなヨンドゥさんなんですよ」

うん、そんな人柄がメールから伝わってきたよと答え、わたしは、自宅のパソコンでさっそく映像を見始めた。

『ワイルド・グース・チェイス』は、ジャズピアニストの小曽根《おぞね》真《まこと》のピアノ曲のタイトルで、白鳥さんが大好きな曲だ。同時にそれは英語の慣用句で、無駄な追跡、捕まえられないものを追いかける、という意味である。Hey, that is a wild goose-chase!　と言われたら、そんなの追いかけても無駄だよ、ということになる。

作品は、白鳥さんの写真と小曽根真が演奏する『ワイルド・グース・チェイス』のみで構成されている。

見る前は、ゆったりしたスライドショーを予想していたのだが、その予想は完全に裏切られ、超絶速いテンポの曲と街をジグザクに切り取った無数の写真が完璧なまでにリンクし、見ているひとを街中の追いかけっこに誘ってくる。映像は凄《すさ》まじい速さで動き、瞬き、跳ねまわる。わたしは四分四九秒間、うわーーー！　なんじゃこりゃ、とずっと鳥肌が立ちっぱなしだった。たったふたつの素材でもこんなことができるんだ！　それは白鳥建二、小曽根真、ジョン・ヨンドゥという三人の才の結晶だった。


そもそも、どうして白鳥さんは写真を撮り始めたのだろう。

「写真を始めた当初は、なにか盲人ぽくないことをやったらどうなるのかなって。美術館に行ったのと同じように、写真を撮ることで自分の価値観を変えられるんじゃないかと思ったりして」

「それで、実際に価値観が変わったの？」

「いや」

「それでも撮り続けてるんだよね？　じゃあ、写真を撮るモチベーションも変わってきた？」

「そうみたい。いまとなっては『読み返すことのない日記』という説明は間違ってはいないんだけど、なんか言葉足らずっていうか、これも違う気がしてる」

「写真はなにかに向けて撮ってるの？」

「前は音がする方向にカメラを向けて撮ったりしてたけど、いまはそういうことも考えてない。気分がいいとシャッターを押しちゃう。この間、ある写真家のひとと話をしていて、そのひとはほかの写真家が撮影した作品を見ると、なにに向けて作品を作っているのか、その意図がある程度わかるって言ってたんだよ。じゃあ、俺の写真はどこに向いているのかなって考えると、ああ、俺はどこにも向いてない写真を撮ってるんだって思ったんだ。俺の写真は自分にしか向いてないんだって。そしたら、作品としていいかも。写真家になっちゃうか、みたいに思ったよねえ！」

「いいねえ。っていうか、これだけ写真を撮ってる時点でもう写真家なんじゃない？」

結局のところ、大量の写真を撮るモチベーションはよくわからなかった。もしかしたら自分でもはっきりしていないのかもしれない。そういうとき白鳥さんは、無理にそれらしい理由とか説明をつけようとしない。とにかく、事実として白鳥さんは雨の日以外は写真を撮り続けている。雨の日は、傘と白杖で両手がいっぱいなのでカメラは持てない。

散歩していると声をかけられる

白鳥さんがひとりで外出をしていると、街で声をかけてくるひともいる。

『どこに行くんですか』ってよく聞かれるんだけど、いや、バス停まで行くんですけど、とか答える。どうやら迷ってるんじゃないかって思うみたいなんだけど、別に俺は迷ってないんだよね。なにか手を貸してくれようとするんだけど、俺は別に困ってないから、それもまた困ったりして。

困っているときは困ってますって言うから、相手の様子を無視して手を貸そうとするのも違うんじゃないかなと思う。いくら大丈夫って言っても、ずっとあとをついて来ちゃうひともいた。あれは困ったなあ」

あ、目が見えないひとがいる、助けなきゃ、と思うのだろう。しかし、優しさや気遣いがすぎるとおせっかいや押しつけになってしまう。その塩梅《あんばい》が難しくて、もういっそのことなにもしないほうがいいのかも、と思うひともいるだろう。わたしも高齢者に電車で席を譲るときにちょっと悩む。あ、このひとは高齢者だよね、いや、元気そうだし座らなくても大丈夫なのかも、いや、でもとにかく年上のひとが椅子に座ったほうがいいよね、よし、じゃあ声をかけようかな……。

「……とかさ、どうやって声をかけるのか、それが難しい」とわたしは言った。

「そうだね、別に普通にマンションで挨拶するような感じで、まずは、こんにちはって言ってほしい。普通のコミュニケーションがいい」

こうして白鳥さんと一緒に多くの時間を過ごすうちに、不思議なくらい街なかで視覚障害者のひとたちの姿が自分の目に入るようになった。前に書いたゴリラの実験と同じで、気にしている事柄に対しては無意識に注目してしまうのだろう。とにかく、視覚障害者が歩いているのを目にすると、なんだか声をかけたくなってしまう。ただ白鳥さんが言う通り、困っていないひとに無闇に声をかけるのは迷惑行為だ。だから、しばしの間見てみて、困っていないようだったら声はかけない。しかし、駅や電車の乗り換えはけっこう複雑だから、とりあえず声をかけてみる。そのとき「大丈夫ですか」とか「お手伝いしましょうか」とは言わず、「こんにちは、よかったらそこまで一緒にいきましょう！」と言う。たいていのひとは、「お、いいですね」という感じになるので、肘をつかんでもらい、視界に入るものや駅の様子なんかを話して、エスカレーターの入り口や改札でさよならする。こうやってひとに声をかけられるようになると、席を譲るために立ち上がって「ここ、空いてますよ」と声をかけるのもすごく簡単になった。

白鳥さんは、たいていのときは助けがいらないが、それでも声をかけられてよかった！ というときもあるようだ。ある夜、マイティと白鳥さんがふたりで深夜まで飲んだあと、白鳥さんは気持ちよく酔っ払ってしまい、帰り道ですっかり迷ってしまった。

「気がついたら、パトカーで家まで送ってもらってたんだよ」

「それって、お巡りさんに声をかけられたの？」

「いやー、それが酔っ払ってて全然覚えてないんだよね！」

とのことなので、このときは声をかけられてよかったと思う。

マジシャンが街をゆく

もうひとつ、白鳥さん自身が登場する映像作品がある。こちらもヂョン・ヨンドゥの作品で、タイトルは《マジシャンの散歩》（二〇一四年）、約五五分の映像作品である。

ヂョンは人々の夢や記憶を聞き取って作品化する作家で、リサーチで水戸に滞在するなかで水戸の人々、そして白鳥さんにも話を聞いた。

「ヨンドゥさんにどんな夢を見るのって質問されて、よくわからないままに答えたんだよね。そうしたら、それが映画になっちゃった。だから実際の映画も脈絡がない展開で、夢みたいな感じ」

こちらはストーリーがある映像で、映画の中で散歩をするのは、韓国では有名なマジシャンのイ・ウンギョル。水戸の人々や水戸芸術館のスタッフも多数登場する参加型の作品である。

映画は、白鳥さんの自宅の前から始まる。マジシャンは住宅街をぶらぶらと歩きながら、財布から巨大な牛乳瓶を取り出したり、手にしたトランプの柄を消したりと様々なマジックを披露し、画面に向かって色々と語りかける。


——芸術ってひとの人生を変えられるものですか？


やがて映画は、当時の白鳥さんの通勤経路をたどって、バスの中に移る。マジシャンは座席から「どこか遠くに行きたくなりますね」「『ノルウェイの森』という本を知っていますか」と画面に語りかけ、そのうちに車窓の風景が森に変わり、乗客もノルウェイ人らしき人々に変わる。マジシャンのスムーズな動きとともに風景がデフォルメしていくさまは、本当の夢の中のようだ。

しかし、この映像はそれだけでは終わらない。ファンタジックな気分を盛り上げたあと、突然「カット！」という監督の声とともに撮影スタッフが映し出され、「現実」が画面の中に立ち現れる。それが面白い。これらのシーンにより「これはフィクションなんだ」と強制的に思い出させられる。映像はファンタジーと現実の撮影を自由に行き来しながら、最終目的地である白鳥さんのマッサージ店を目指す。

映像の後半、マジシャンは水戸市内の中心部で行われている市民フェスティバルに突入する。どうやら、リアルなフェスティバルで撮影されているらしく、大勢のひとが露店で食べたり、歩行者天国で踊ったりして楽しんでいる。ところが、マジシャンの動きに合わせて背後でダンスする集団のTシャツの色が変わったりするので、現実とファンタジーの境目がますます曖昧になっていく。

実はこのあたりのダンスシーンには、マイティも映っている。

「いまから音楽かけるから踊って、とか指示されるままに踊ったのね。いったいなんのシーンなのか全貌がつかめないままだったけど楽しかった」（マイティ）

フェスティバルは本物だが、ダンスしているマイティは演技である。でも映像に映るマイティの楽しそうな顔はやっぱりマイティそのもので、なにが現実でなにがそうじゃないのか、もうわからない。

さて、当の白鳥さんは、映画の最後のシーンに登場する。

シーン冒頭では、街中に唐突に置かれたグランドピアノで、正真正銘、本物の小曽根真がピアノを弾いている。そのときのことを思い出すと、白鳥さんは珍しく興奮した口調になった。

「ヨンドゥさんに好きなミュージシャンはいるのか、って聞かれて、とっさに小曽根真！　って答えたんだよね。そうしたら本当に撮影現場に小曽根真が来てたんだよ！　ヨンドゥさんが小曽根さんに熱い手紙を書いて、本当に来てもらったみたい！」

小曽根は白いシャツに黒いズボンをはき、コンサートホールにいるかのような演奏を続ける。弾いているのは、映画のクライマックスに相応《ふさわ》しいドラマチックな曲だ。

華麗な演奏が続く中、一方の白鳥さんは、画面の端でぼーっと突っ立っている。その立ち姿は、ファンタジーではなく、現実の白鳥さんそのものだ。

「だって、自分の役が全然わからないんだもん。でも、あのときはもう俺は小曽根真に会えただけでよかった！　って思ってた」

チョン・ヨンドゥ《マジシャンの散歩》(2014年)
ビデオ　55分15秒

ピアノの演奏は続き、その傍では何人かのひとが大きな風船を三脚に結びつけている。最後に、マジシャンが白鳥さんからカメラを受け取り、三脚に乗せると風船はぐんぐんと舞い上がっていった。映像には、空を飛ぶカメラから見たような俯瞰した水戸の街が映った。

まるで、その日の「日記」が空からの風景になったみたいに。

これらふたつの映像作品は、水戸芸術館現代美術ギャラリーで開催された展覧会「ヂョン・ヨンドゥ　地上の道のように」（二〇一四年一一月～一五年二月）で発表された。

「じゃあ、白鳥さんの名前も図録にクレジットされてるね！」

そうわたしが言うと、白鳥さんは「いや、どうだろう。されてないんじゃないか。だって俺はあくまで素材を提供しただけだから」と飄々と言う。

えー、そうかなあと思い、すぐに確認したところ、《マジシャンの散歩》では出演者のところに名前があり、そして《ワイルド・グース・チェイス》では「写真：白鳥建二　音楽：小曽根真」とあった。

「白鳥さんの名前、図録にばっちり載ってたよ」

そう伝えながら、なんだ、もうとっくに写真家だったんじゃないと心の中でクスリと笑った。

散歩は、未知なる世界への入り口なのである。

参考文献
『ヂョン・ヨンドゥ　地上の道のように』水戸芸術館現代美術センター

第9章

みんなどこへ行った？

風間サチコ《ディスリンピック2680》《ダイナマイトは創造の父》《ゲートピアNo.3》

北陸新幹線を降りるなり、一二月のキリリと冷たい空気に包まれた。あー、もっと暖かいコートを着てくればよかったかも。隣にいる白鳥さんは、マスタードカラーの分厚いダウンジャケットを着込んでいた。

「ねえ、山がすごいよ、ぐるっと街を囲むように山があるの」

山が富む、と書いて富山。目の前にはその名のままの景色が広がっていてギョッとした。三〇〇〇メートル級の山を抱く北アルプス・立山連峰である。幾重にも連なる雪山を惚れぼれと眺めた。

「へえ、そんなに（山が）すごいの？」白鳥さんが聞き返す。

「うん、こんな風景ってちょっと見たことないよ。さすが『富・山』だけある。それにしてもわたしたち、よくここまで来られたねえ。なにはともあれ無事に着いてよかったよー！」

実は来るまでに、わたしを焦らせるプチ事件が連続で勃発した。家を出る直前に保育園から電話があり（たいてい良くないニュースだ）、「実は園内でアタマジラミが流行していて、ナナオちゃんの頭にもいるようです。早めにお迎えに来られませんか」と聞かれた。ぎゃあ、シラミってリアルにまだ存在しているのかと戦慄《せんりつ》しながら「いや、今日は出張に行くので、いつも通りの時間に夫が迎えにいきます！」と答えた。娘よ、ごめんねー、母はシラミなんぞにかまっている暇がないのです。

さらに新幹線の改札では、白鳥さんに渡したはずの切符が見つからなかった。「どこに入れたんだろうねえ！　ない、ない」とあちこちを探しているうちに発車時刻が迫ってくる。駅員には「富山で精算してください」と言われたので「うわあ、とにかく乗っちゃえ、急げ！」とわたしたちは、運動会並みの猛ダッシュで階段を駆け下り、発車寸前の新幹線に飛び乗った。

「盲人をアテンドしながら階段をダッシュするなんて、マイティも度胸あるよ！　動画に撮れなかったのが残念だった」と感心しているとマイティは、へへへ！　と笑い、白鳥さんも「そうだよねー」とおかしそうだった。その後、切符はお弁当を入れたレジ袋から無事に発見された。

翼を失くしたニケ

富山県美術館でエデュケーターとして働く滝川おりえさん（マイティの友人）のクルマに乗せてもらい、黒部市に向かう。

「あー、鱒《ます》寿司が食べたいな。ねえ、白鳥さん、ゆうこさん（白鳥さんの妻）へのお土産に買うでしょう。ねえ、帰りに絶対買うでしょ」

マイティがしつこいほどに念を押す。食べたいならひとりで買えばいいんじゃないかと思うのだが、誰かと一緒に買いたいらしい。

「ああ、うん。じゃあ買おう」

白鳥さんが頷くと「鱒寿司ならオススメのところがありますよ。あとで寄りましょう」と鱒寿司バトンを受け取ったおりえさんが言った。クルマは市街地を抜け、海と山の間の道を進んだ。目的地は黒部だが、別にダムなどの観光地に寄るわけでもなく、今日もいそいそと黒部市美術館の開館二五周年企画「風間サチコ展　コンクリート組曲」を目指していた。

美術館は、広々とした抜けのよい大空間で、壁には大小の作品がゆったりと掛けられていた。そのすべてが黒と白で構成される平面作品だ。風間サチコ（一九七二〜）は、一貫して木版技法を用いた作品を発表してきた。極めて伝統的な手法を使いながらも作品テーマは現代的で、特に評判になったのは、《ディスリンピック２６８０》（二〇一八年）である。

「いっぱい（作品が）展示してあるの？」と白鳥さんが尋ねる。

「うん、けっこうな点数。大小あって、いま目の前にあるのは、ものすごく大きい作品だよ」

どーーーーーーーーーーーーーーーーん！

マンガだったらそんな効果音が目に飛び込んできそうなほど、壁一面を占拠している作品が《ディスリンピック２６８０》だった。

有緒　横幅、四、五メートルぐらいかな（注：実際には六・四メートル）。

白鳥　でかい。

有緒　でかいね！

黒と白だけで構成されるその世界は、不吉な事件が進行しているような禍々《まがまが》しさを醸しながらも、全体的にはマンガタッチでちょっとしたコメディ感もあった。

さっそく作品について話を始める。大きさや形、素材などの大枠から始まり、色やモチーフ、個人的に抱いた印象や思い出したことなどに進んでいくのが定番の順番なのだが、別にルールはない。これだけ大きく細かな図柄の作品となるといったいなにから始めればいいのかわからず、久しぶりに戸惑いを感じた。

まず、ここはどこだ？　ええと、オリンピック競技場だ。しかもオリンピック発祥の地、ギリシャのオリンピアか？　いや、違う、日本かも。わたしはよくわからないまま言葉を絞り出した。

「オリンピック競技場みたいに段差がある建物で、中心には競技ができそうな広いスペースがある。巨大な建造物で、造っている途中みたい……。ところどころパルテノン神殿みたいな柱があって、ギリシャ神話っぽい感じもする。でも、建設に使っている機械はブルドーザーだから、時代は現代なのかも」

そこまで一気に言うと、三歩後ろに下がった。「ディスリンピック」というタイトル通り、視界には「平和の祭典」とは真逆のディストピア的世界が広がっていた。

驚かされるのは、偏執狂《へんしつきょう》的と言えるほど細やかなディテールだ。いくつものできごとが同時多発的に展開し、パッと見ただけでは全体のテーマはつかみきれない。この細かさを木版で実現して

いるんだよなあ。隙のない構成力、そして作品全体に漲《みなぎ》る緊張感に息を呑んだ。
目を引いたのは、右下に描かれた不気味な彫像だった。

滝川　石像かな。

マイティ　ニケみたいな。でも、羽はない（注：ルーヴル美術館所蔵の彫刻《サモトラケのニケ》。背中に羽が生えている）。

有緒　で、首もない。手もない。

マイティ　（右上を指して）あ、なんか空から落ちてきてるね。ちっちゃいひとだ。

巨大なブルドーザーから、人間がゴミのように落ちている。そう、最初はあまり目に入らなかったが、この絵には無数の人間が描かれていた。

四つん這いで匍匐《ほふく》前進しているひと。
マスゲームを演じる人々。
コンクリートで生き埋めにされる寸前のひと。

風間サチコ《ディスリンピック2680》（2018年） 242.4 × 640.5㎝
まずは会話から作品を想像してみてください。作品は本書のカバー裏面に掲載しています。

生き埋め寸前のひとの顔には、字のようなものが書いてあった。

白鳥　え？　顔に字が書いてあるの？

マイティ　うん。丙《へい》、丁《てい》とか。きっと甲・乙・丙・丁の「丙、丁」だね。

白鳥　ふうん。

一方で、「甲」の字の看板を高く掲げ、行進をしているひとたちもいる。気味の悪いことに、そのひとたちはのっぺらぼうだった。

改めて離れたところから全体を眺めてみる。すると——。

ん？　絵の左側と右側でなにかが違う

――。

　スタジアムの左側はたったいま建設されたばかりのようだが、右側はボロボロで崩れかけていた。「甲」たちがいるのは左側。「丙」「丁」、そして翼のないニケはボロボロの右側。

「右と左でなにか違うような……」

　おりえさんがやや決心したように言った。

「右側は……さげすまれた世界ですね」

「えっ、そういうこと？」とわたしは声をあげた。

　次にマイティは絵の中心を指しながら言った。

「そうか。ここで判決を受けて、左右の世界に振り分けられるんだね」

　急に左右の違いがクリアに見えてきた。そして、いったん見えてしまえば、あまりにも明らかだった。

　そこは、ひとが競争原理によってランクづけされ、いわゆる勝ち組と負け組が選別される過酷なオリンピックだった。役に立たない負け組は柵で囲われ、生き埋めにされる。逆に「役に立つ」と選ばれた人々はのっぺらぼうでマスゲームに参加する。羽がもがれた勝利の女神・ニケは、右側の世界の象徴だった。

「ねえ、真ん中の上のほうを見て。ほら、ここに神の手みたいな大きな手があるでしょ。それが卵を割ってるよ。どういう意味だろう」とわたしは作品にぐっと近づいた。

　作品の左側にある大砲からは、卵に向かってまっすぐ光が発射されていた。光の中心には、米粒ほどの小さなひとがいる。

ここにもひとつの思想が刻まれているようだった。ただ、すぐに口に出すことは憚《はばか》られた。そこに描かれているのは、生まれる前に「生まれるべき命」を選別する「積極的優生思想」かもしれない。

かつての日本では疾患や障害がある遺伝子が受け継がれないようにと、旧「優生保護法」により強制的な不妊手術が行われた時代があった。これは戦前に作られた国民優生法を引き継ぐもので、ナチスドイツの遺伝病子孫予防法を参考にしたものである。この法律が改正されたのは一九九六年のことだ。わたしが大学生だったほんの二十数年前まで、国家により「生まれるべき命」「生まれるべきではない命」「産んで良いひと」「産んではいけないひと」がより分けられていたという事実にゾッとする。

そして旧「優生保護法」は廃止されても、現在では「出生前診断」により胎児の障害の有無を知ることがとても手軽になり、障害があることがわかると「産まない」ことを選ぶひとも多くなった。

さらに遺伝子疾患に対しては、ゲノム編集を用いた遺伝子治療技術もものすごいスピードで進んでいる。そこには、様々な立場の当事者がいて、中にはその治療で助かる命もあることから一概に「ゲノム編集なんてけしからん」とばっさり言い切ることもできない。それぞれの切迫した事情や考え方が入り組み、抱える病の重篤さによっても区別され、どんな治療をどこまで認めるのかという議論は複雑化の一途をたどっている。ただハッキリと言えることは、いまや受精の段階で、いやもうそれ以前に事実上の命の選別が始まっていることだ。

しばらく作品に見入ったあと、マイティが奇妙なほどさっぱりした口調で言った。

マイティ　ねえ、わたしたちって、この世界に入ったら完全に右側に分類されるひとたちだよね。

有緒　はは、そうかもね。兵隊になれなかったもんね。

わたしもマイティも、かつては公務員として働いていた。わたしは国際公務員で、マイティは国家公務員である。しかし、いまのわたしはフリーランスで、マイティも非常勤職員と、まあ不安定な職に就いている。つまり、左側の世界に行こうと努力したものの、結局はレースから抜けることを自ら選んだ。わたしたちは、いまのところ生き埋めにはならずに済んでいるし、むしろそれなりにハッピーに生きている。スライスされた一片の不安を背中あたりに張りつけながらも、生き埋めにされるほど苦しいわけでもない。すべては自ら進んで取った人生の選択だから、もはや生き埋めにされないように頑張るしかない。

その一方で、生まれながらにして「障害者」という枠に当てはめられてきた白鳥さんは、どう感じているだろうか。第二章に書いたように、以前、白鳥さんが語ってくれたことがある。彼の両親はふたりとも晴眼者で、親類にも視覚障害者がいなかった。祖母は、幼い白鳥さんに繰り返し諭した。

――けんちゃんは目が見えないんだから、人の何倍も努力しないといけないんだよ――

白鳥さんはこう言っていた。

「祖母は、努力しないと普通に生活できないんだよってよく言ったよね。だから子どものころは、じゃあ、見えるひとは努力しなくてもいいの？　そうだったら、見えるひとってズルすぎるって思った。小さいころはなんにも知らないからさあ。そのあとに通っていた盲学校でも〝健常者〟に近づくことはいいことだと教えられて。目の見えるひとたちに負けるな、障害があるからこそ、下に見られないように努力しようっていうひともいるくらい。当時はまだ子どもで経験も知識もないから、そういうものなのかなって思いながら、本当にそうなのかなって疑問だったよね」

祖母は白鳥さんを溺愛していたというから、それは心配や愛情から出た言葉に違いなかった。なにしろ白鳥さんが生まれた時代は、「障害者は不幸である」ということを前提としたような議論が公然と展開されていた。例えば兵庫県衛生部では、一九六六年から七四年まで行政が中心となり「不幸な子どもの生まれない運動」を展開していた。この運動は、出生前診断や羊水検査により一部の染色体異常の可能性がある赤ちゃんを見つけ、障害者の出生数を減らすことを推進していた（その後、障害者団体の抗議により行政による運動は中止された）。そういう「障害者は不幸だ」という時代の空気感が、障害者は人一倍努力しなければならない、という発想をあと押ししたのだろう。

さらに付け加えるなら、いまでもこの社会はまだまだ「見える」ことを前提にまわっている。信号や標識、看板、メニュー、スーパーの価格表示――。現代ではテクノロジーの進化により目が見えないひとが得られる情報やサービスは格段に増えたとはいえ、白鳥さんが幼いころは、確かに「苦労をする」と言われても仕方のない状況だった。

もうひとついうと、日本はとにもかくにも同調圧力がやたら強い国である。現在でも「ひとに迷惑をかけるな」という空気が社会のあちこちに漂っていてなんだか、息苦しい。美術館で白鳥さんと小声で会話をしているだけで「うるさい！」と注意されたことは前にも書いた通りだ。ほかにも、赤ちゃんだった娘を連れて飛行機に乗ったときに、隣に座ったひとがフライトアテンダントを即座に呼び「子連れのひとが隣にいるなんて聞いてない。席を変えてほしい」と言い始めたこともある。ただ子どもがいるだけで肩身の狭い思いをしないといけないのか、と思うとやるせない気持ちになった。こんなのはきっと序の口で、日本のあらゆる場所でただそこにいるだけで圧力をかけられ、肩身の狭い思いをしたり、門前払いされたりするひとが大勢いることだろう。そして、生活保護バッシングなどを見るにつけ「社会に迷惑をかけないように努力をしろ」という心ない言葉を浴びせるひとも少なくないこともわかる。どうして日本はこんなに余裕がなく、息苦しい国になってしまったのか――。

とにかく、そういうことを考えていけば、白鳥さんの祖母や盲学校の先生たちがどうして白鳥さんに「努力しろ」「頑張れ」と繰り返し諭したのかも理解できる。ただでさえ障害があるひとに風当たりが強い社会で、「頑張らない障害者」への風当たりはどんなものになるのか、と想像をすると心底恐ろしくなる。

しかし、本当は別に障害者が過剰な頑張りなど強いられない、人々の心の余裕がある社会を作るほうを目指すべきなのだ。当時の白鳥さんはほんの子どもにすぎない。ただお腹いっぱい食べたり、ひとりでぐっすり眠れるだけで「えらいねー」「すごいねー」と褒められるべき時期に、「あなたはほかのひととスタート地点が違う」と強く意識させられることになったのではないだろうか。しかも、白鳥さんには「目が見える」という状態がわからないのだから、いったいなにに対して苦労するかもわからないままだった。

一枚の巨大な版画の前に、わたしたちは立っていた。

ダムはロマンなのか？

そのあと、わたしたちは《ダイナマイトは創造の父》（二〇〇二年）という九枚の連作を見た。山に掘られたトンネルや団地の風景、ダムの放流、ガスタンクなどの人工建造物が描かれたものが一点ずつ。そして、なにかが大爆発を起こす様子を描いたものが五点。爆発の炎は生き物のように揺らめいている。

ここは、どこだろう？　見ようによっては、どこにでもある風景にも見えた。開発と破壊を繰り返しながら「近代化」を遂げてきた昭和の風景。

団地が描かれているせいか、「そういえば白鳥さんって、絶対に一階に住むよね、それってポリ

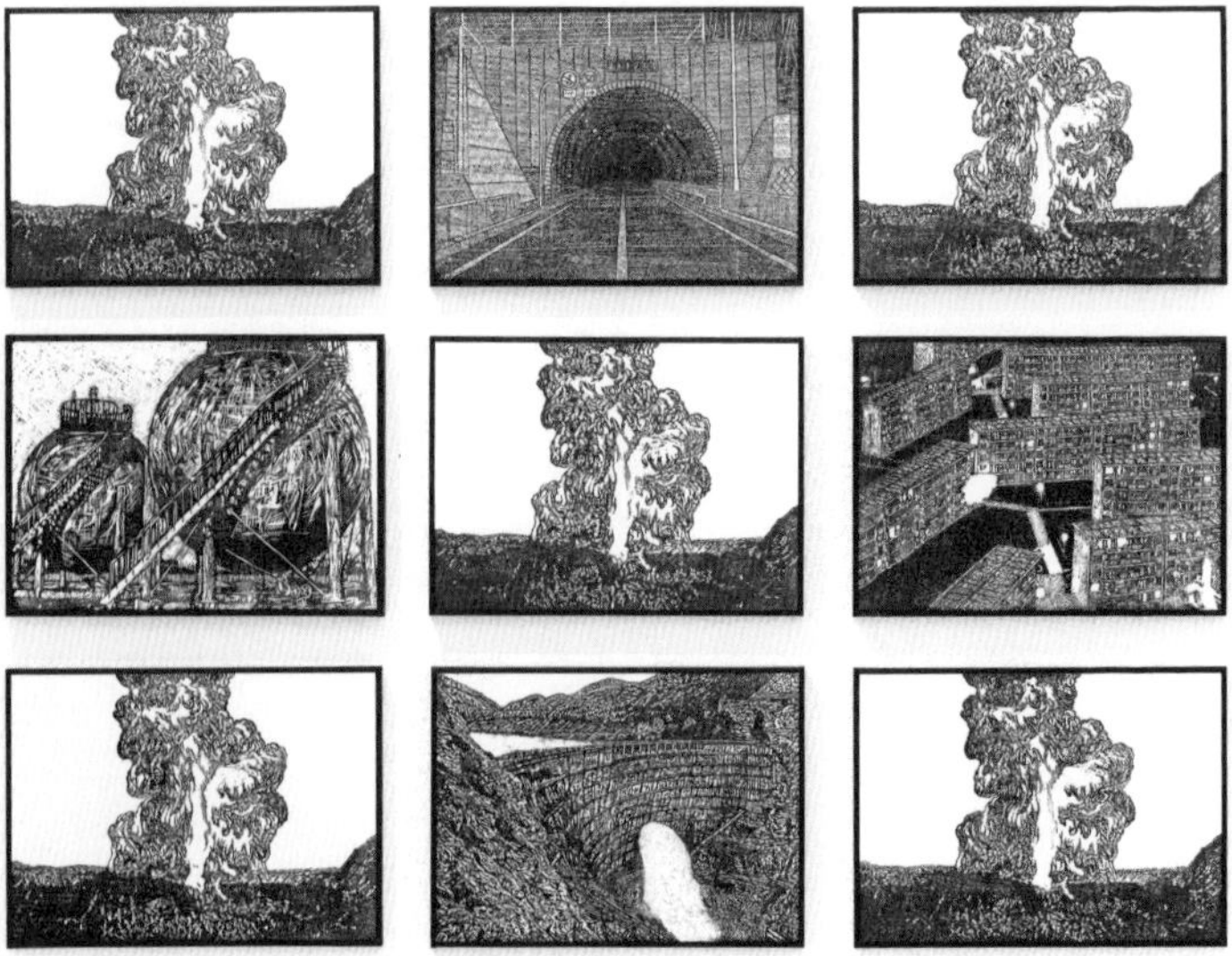

風間サチコ　《ダイナマイトは創造の父》(2002年) 142 × 196.5㎝

シーなの。それとも一階に住むと楽だから？」とマイティが聞いた。

白鳥　ポリシー的なところもちょっと、うん。

有緒　階段がないほうがいいとか？

白鳥　というか、二階で下のひとのことを気にするよりは。

有緒　音か。

白鳥　うん。

有緒　ひとを苦しめるより、自分が苦しむほうがいいタイプ？

白鳥　音に慣れているというか、そこまで音が苦じゃないんだよね。とにかくいつも一階を選択してる。

わたしは一階だけはなんとしてでも避ける。アメリカで暮らしているとき、強盗がわりと日常的に起こるヒスパニック・コミュニティに二年ほど住んでいた。一階は特に危険だったから、いまでも一階には住めない。
爆発する光景もあるというのに、時を止めたような静けさを感じさせる作品だった。心地よい静けさではなく、いるべきひとが不在であるような寂寥感《せきりょうかん》を伴う静けさだ。

マイティ　この作品って、ひととかクルマがないから、人間が生きている感じがしないんだよね。
おりえ　団地は？
マイティ　あ、団地だけは明かりがついてる。でも、暗い部屋が多いからやっぱりひとがいる感じがしない。この団地、酔っ払ったら自分の家を間違えそうだな。
白鳥　わからなくなるよね。
マイティ　住み慣れるとそんなことないのかな。
有緒　アメリカで、最近そういう事件があったよね。
マイティ　え！　どういうこと？
有緒　白人の女性の警官だったと思うけど、黒人の男のひとが鍵をかけないで寝ている部屋を自分の部屋だと勘違いして入って、不審者が侵入していると思い込んで、撃ち殺しちゃったって。
マイティ　ただ、部屋を間違えただけなの？
有緒　そうそう。ただ間違えて入っただけ。男性は、自分の家で寝ていただけなのに。それで……。

二〇一八年にテキサス州で発生したボッサム・ジーンさん殺害事件である。事件の根底にあるのは黒人に対する根強い偏見だった。アメリカでは、黒人たちはただ黒人であるというだけで就職機会や賃金などの差に直面し、社会的に不利な立場に置かれる。つまりは、自動的にディスリンピックの右側に分類されてしまうという構造的な分断や差別が根強く残り、さらに命まで奪われてしまうという痛ましい事件はこれだけではなく、この前にもあとにも驚くほど多発している。

だいたい他人の家に入っておいて銃を向けるなんてありえない、ひどすぎると思う。しかし、自分が同じ状況で「侵入者」と出会ったら、絶対に同じ行動をとらないと言いきれるだろうか？　それは、同じ場所で同じ日のそのひとになってみるまで実際には誰にもわからない。それもまた恐ろしいところである。


わたしたちの会話はダムに移っていった。

なにしろここは黒部だ。わたしが富山駅に降り立つなり「山がすごい」と感じたのと同じ驚きをかつての電力関係者も感じたことだろう。日本有数の豪雪地帯にある切り立った峡谷は、大正時代から水力発電のポテンシャルで注目され、数多くのダムが建設されてきた。世の中にはダムが大好きな「ダムマニア」もいるが、わたしは巨大な人工建造物にはあまり興味がない。約二〇年前、仕事でブラジルとパラグアイの国境にあるイタイプー・ダムを訪れ、巨大なタービンが回転する様子を特別に見せてもらったが、ぼうっとしてしまった。土木建築に無知すぎてすごさがピンとこなかった。

有緒　あれは南米で一番デカいダムなの（注：発電容量実績でいうと二〇一五年、二〇一六年は世界一）。だから一緒に行った技術者の男のひとたちは興奮がすごくて、「これは人類の叡智《えいち》の塊ですね！」とか言ってるから、最後まで会話が嚙《か》み合わなかった。

マイティ　ロマンなのかな、なんかダムは。

有緒　そう、ひとによってはロマンなんだね。なんだっけ？　中島みゆきが主題歌を歌う、えーと、『地上の星』だ。あの番組でもあったよね。

白鳥　『プロジェクトX』？

有緒　そう『プロジェクトX』にも出てきたね、黒部のダム開発。

社会人として駆け出しのころのわたしは『プロジェクトX』が好きで、番組を見たり、書籍版を読んだりしていた。中でも黒部ダムの工事の過酷さは印象に残っていた。うろ覚えだったが、断崖絶壁での難工事で事故が相次ぎ、亡くなったひともいたはずだ。

調べてみると、番組は黒部第四発電所（黒四ダム）建設を追ったもの（NHK、二〇〇五年に二週連続で放映）で、後編の副題には「絶壁に立つ巨大ダム　1千万人の激闘」とある。建設中に亡くなったひとは一七一人。だからだろう、黒四ダムの説明文には、必ずといっていいほど「死闘」とか「不屈のドラマ」という扇情的な文句が添えられる。

当時のわたしもその過酷さゆえの物語性に心を動かされていたひとりだった。でも、あれから歳をとり、人生の時間を積み重ねたいまは思う。

それは、あまりに軽すぎる、と。

「死闘」とか「ドラマ」という言葉でパッケージしてしまうこと。日本全体の利益のために度重なる犠牲が許されたこと。死すら美化されてしまうこと。たったひとつの命を落としてしまったひとですら、「不屈のドラマ」の中にしゅっと回収されてしまう。

風の中のすばる
砂の中の銀河
みんな何処へ行った
見送られることもなく
（中島みゆき　作詞・作曲『地上の星』）

あなたは誰ですか？

見ごたえのある展示で、実はここに来る前にも別の美術館をめぐってきたので、もうフルコースのフレンチディナーを連続で食べ終え、あー、もうお腹いっぱいです、という気分になった。

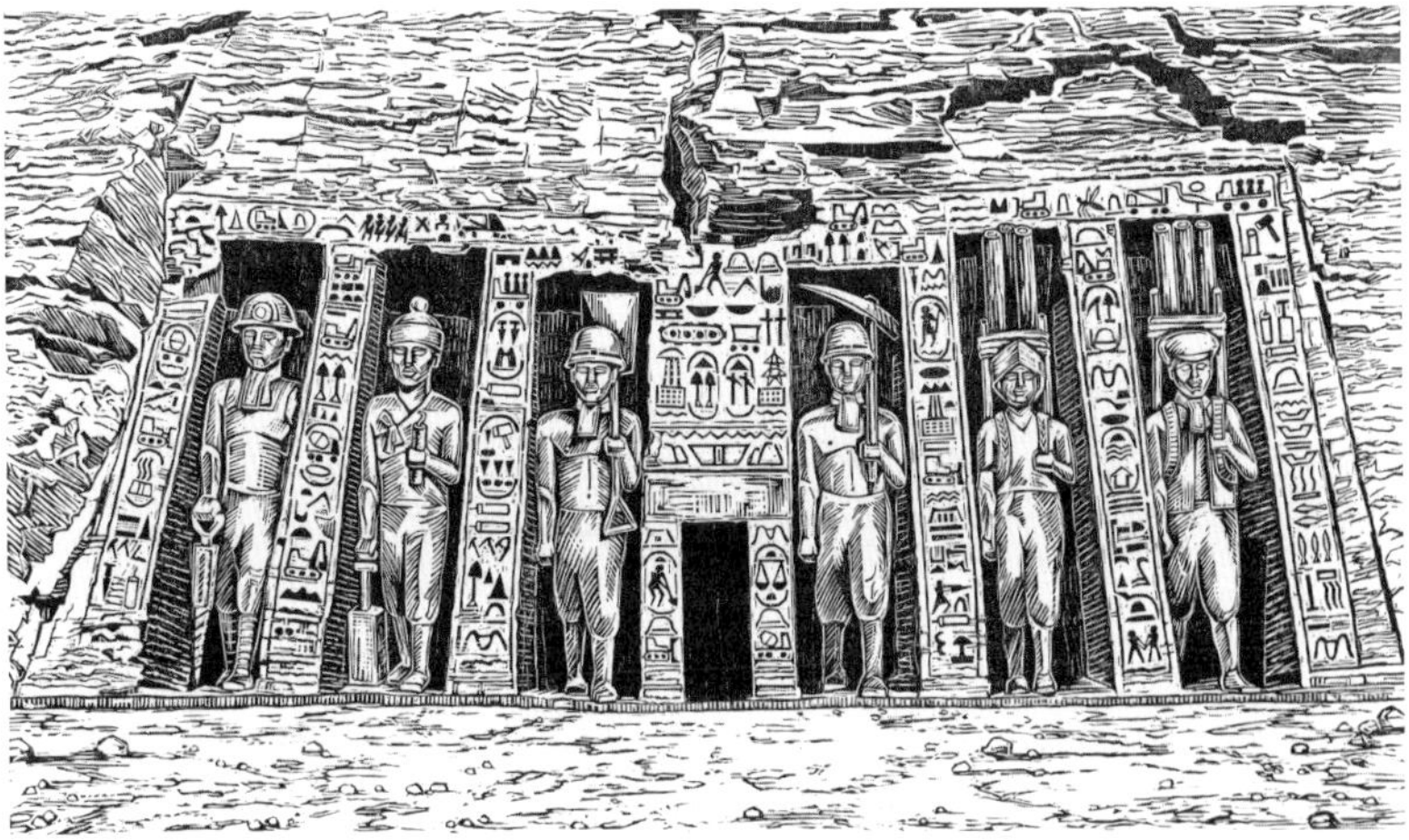

風間サチコ《ゲートピアNo.3》(2019年) 60.5 × 91.5㎝

しかし、まだひとつ見ていない作品が残っていた。展示室の真ん中に置かれた衝立のような壁にある作品で、タイトルは《ゲートピアNo.3》(二〇一九年)。

あれ、まだデザートがあったのね、もうごちそうさまでもいいんだけど、と思いながらも、わずかな気力を動員して作品の前に立った。

すぐに、いままでの作品となにかが違うと思った。五人の男性とひとりの女性。計六人が神殿遺跡に収められたミイラのように正面から描かれている。

資材をかつぐひとや、掘削の道具やドリルを手にするひとなど。ダムの工事に関わった人々に違いない。労働者を神格化しているようで、あまり好きではないかもしれないないなと感じた。

そのとき、いつの間にか衝立状の壁の裏側にまわったマイティが不思議そうに声をあげた。

「あれ、ひとりだけ削られちゃってるよ。あれ、あれ?」

そして、あわてて壁のこちら側に戻ってきた。「あれ、

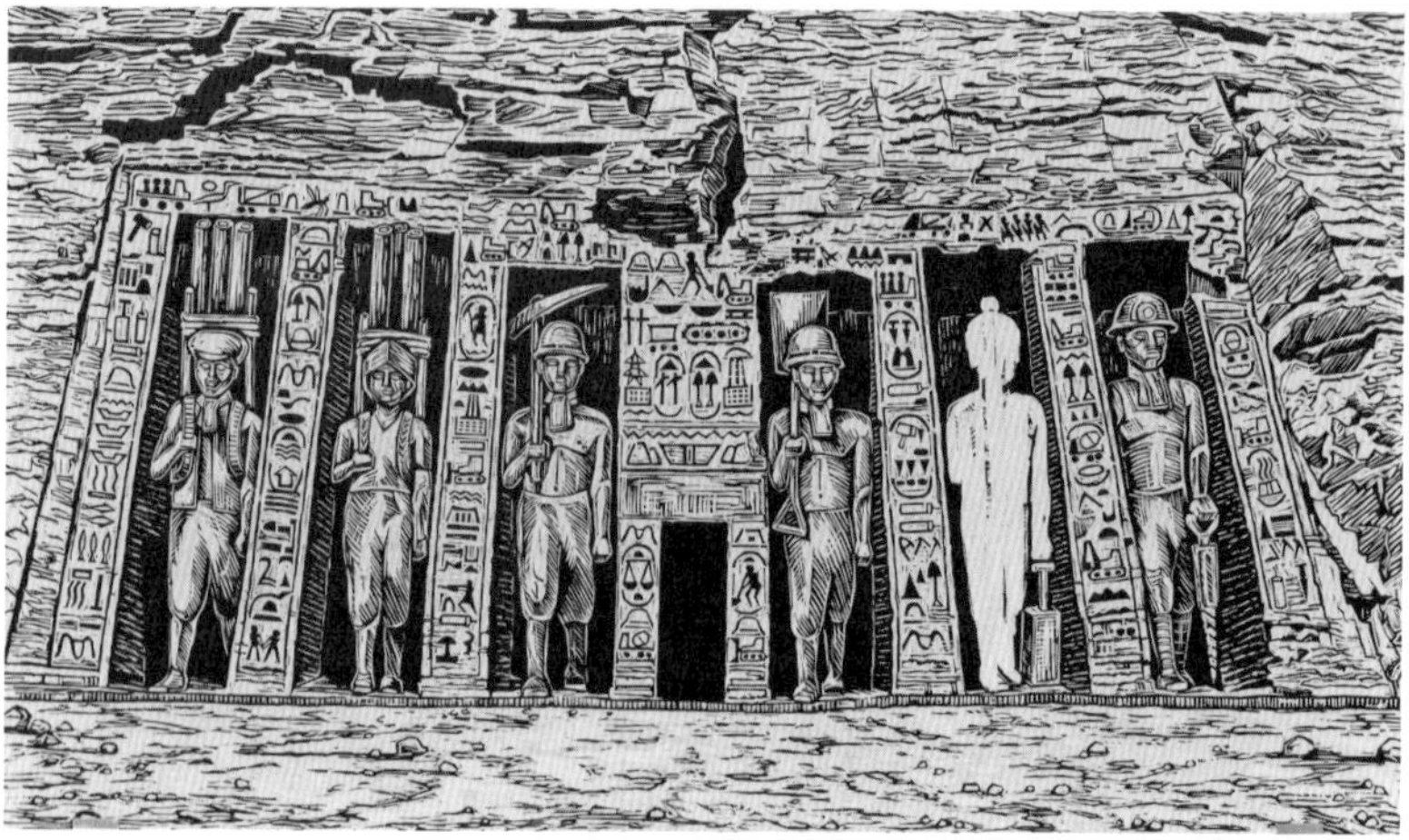

風間サチコ《ゲートピアNo.3》（版木）（2019年）60.5 × 91.5㎝

こっちはやっぱりある

「え、削られてるってなんのこと？」

わたしも壁の裏側にまわると、版画と対をなす別の作品があった。いや、それは作品というより、《ゲートピアNo.3》の元になった版木だった。確認すると確かに版木の一部がひとの形に荒々しく削り取られている。

しかし、壁の向こうの版画を見ると……ちゃんとそのひとはいた。

壁の向こうとこっちを行ったり来たりして、何度も版画と板木を見比べた。

そこから推測できる事実はたったひとつだ。風間サチコは、版画作品を刷り終えたあと、わざわざ版木の一部を削り取った。だから、同じ版画を刷ることはもうできない。

なぜ、あえてひとりだけ版木から消したのか？

その人物は、ダイナマイトを手にし、先の尖った独特の帽子をかぶっていた。

あなたは誰ですか？　なぜ消されてしまったのですか？

混乱するわたしたちを見て、黒部市美術館学芸員の尺戸《しゃくど》智佳子さんは耐えかねたように言った。

「そのひとは、朝鮮のひとなんです」

え？　なんだって？

歴史から消された人々を追え

尺戸さんによると、風間は徹底的な事前リサーチを行って作品を制作する。今回も展示企画が決まると、この土地にまつわる資料、特に黒部川の電源開発についての資料を集めた。

「リサーチの中で、風間さんは『黒部・底方《そこい》の声　黒三ダムと朝鮮人』という本に出合いました」

本の副題にある「黒三ダム」とは、黒部川第三発電所のことで、一九三六年から太平洋戦争の開始直前の一九四〇年にかけて建設された。

「高熱隧道《ずいどう》」といえばピンとくるだろうか。

このダムは、建設時に掘削されたトンネルが温泉湧出地帯にぶつかったため、トンネル内部に熱い蒸気と硫黄《いおう》が充満していた。構内の温度は人間の限界を超えるまでに上昇し、大勢の作業員が火傷と熱中症でバタバタと倒れた。そんな異常なほど過酷な労働環境の中で、ダイナマイト爆破を使った命がけの掘削作業が続けられた。そして――、実は高熱隧道の工事には大勢の朝鮮人労働者が従事していたという。その事実は世間に広く知られることなく風化したが、風間さんが入手した本には、朝鮮のひとたちがどのようにダム建設に関わっていたかが克明に記されていた。

版木から消された、ダイナマイトを持つ男性。

もし、この版木で刷ったら――。

想像すると、首の付け根がひやりとした。

歴史から消されたひとたちの姿が現れた。

日本人のやり残した宿題

夜、鱒寿司をつまみながら新幹線で東京に戻った。帰路はもっぱら中島みゆきの話で盛り上がった。高校生だった白鳥さんが、最初にひとりで行ったコンサートが、「中島みゆきだったんだよねー」とのこと。

「生の中島みゆきはやっぱりすごかった?」と鱒寿司をお箸でつまみながらわたしは聞いた。鱒寿司はひやりとしたあと舌の上でとろけて、ビールがどんどんすすむ。

「うん、それよりも、すごく緊張してたから、ひとりでたどり着けたってのが一番嬉しかったよねー」

翌日から『黒部・底方の声』を探し始めた。しかし、発刊から二七年も経っていて簡単には見つからない。古本屋のサイトを検索したが、在庫はなかった。

とりあえず、と代わりに読んだのは、吉村昭のベストセラー小説『高熱隧道』だった。熱湯がしたたるトンネルの奥でダイナマイトを爆発させ、岩盤を掘り進む人々はひとまとめに「人夫」と呼ばれていた。しかし、朝鮮人らしき作業員は出てこない。

朝鮮から来た人々は、ベストセラー小説の中でも消されてしまったのか——。

やはり『底方の声』を手に入れなければと思った。

最終的には、版元の桂書房を通じて、著者のひとりである堀江節子さんに連絡がついた。残念ながら堀江さんの手元にも本はないとのことだったが、「自分にも必要だから」と県立図書館で全ページをコピーして送ってくださった。

厚さ三センチほどのずっしりした紙の束をめくると、時を超えて本が発する熱を感じた。そこには、様々な記録、資料、聞き取り調査が駆使され、いかに朝鮮の人々が危険極まりない高熱隧道の最前線にいたかが克明にあぶり出されていた。トンネルをダイナマイトで爆破しながら掘り進んだ「人夫」。なんということか、その多くが朝鮮半島から来た人々だった。

本の「はじめに」で、堀江さんはこう読者に問う。

なぜ、はるばる海を越えて出稼ぎし、高賃金だが命の保証のない仕事を選ばなければならなかったのか？　なぜかれらの存在が歴史の闇に葬られたのか？　それが知りたくて、私達は

『黒三』に足を踏み入れた。（中略）私達を『黒三』に引き込んだのは、過去の歴史への知的関心ではなかった。生活の場で『在日』や『外国人労働者』の問題に出会い、『日本人』のやり残した宿題に気付き、それを済ませなければ次の一歩が踏み出せないという切羽詰まった心境であった。

どうやら著者の三人は、研究者やジャーナリストではなく、地域に住む一般市民のようだった。

二〇二〇年六月に、堀江さんと電話で話すことができた。しゃきっとしながらも柔らかな声の女性だった。

「学生のころからこの問題が気になっていて、子どもが幼稚園に入り、時間ができたのでコツコツと資料を集め始めました」

堀江さんの動機はあくまでも個人的なもので、二八年後のいまもなおこの問題に関わり続けていた。

「黒三ダムの工事では、三〇〇人以上が亡くなり、三分の一以上が朝鮮人だったと言われています。雪崩で亡くなったひとも大勢います。彼らは異郷で亡くなったひとたちで、谷底に落ちてしまい、収容されなかったひともいます。故郷に帰りたかっただろうと思います。谷の底のほうから聞こえてくる声、その思いを受けて、『底方の声』というタイトルにしました」

気になるのは、朝鮮のひとたちがなぜこの時代に黒部にいたのかということだ。

当時、朝鮮半島は日本の植民地支配の下に置かれていた。『底方の声』によれば、日中戦争が続く中で日本人男性は徴兵され、代わりに植民地からの出稼ぎ労働者が日本の様々な現場で働いた。そんな仕事のひとつが、危険なダム工事だった。リスクは工事の現場だけではなかった。一九三八年の年末に起きた大規模な雪崩は、建設作業員のための「飯場」(作業員宿舎のこと)を直撃し、なんと八四人ものひとが亡くなった。

本の中で堀江さんは、この雪崩事故を取り上げ、両親と幼い弟をなくした金鍾旭さんを取材している。事故のとき金さんは旧制中学四年生だった。母の遺体は翌年に谷間で金さんが発見したが、父と弟の遺体はついに見つからなかった。金さんを含む兄弟六人は一夜にして孤児となり、子どもたちだけで日本で暮らすことを余儀なくされ、大人になってから言葉もわからない韓国に帰国した。堀江さんは、帰国した金さんのその後を追い、韓国まで足を運んでいる。そこで耳にしたものは、異常なまでの過酷な工事、多くの事故、そのあとに起こった第二次世界大戦だった。大戦後に帰国してからも、戦後の混乱と朝鮮戦争で苦労の連続だったという。本には、日本と朝鮮というふたつの国の間で必死に生きた家族の姿が描かれている。

わたしは、二〇二〇年のいまになって、八二年前に起きた事故のことを聞いている不思議さを思った。正直に言えば、まったく昔話に感じなかったし、驚きもしなかった。いまの日本を見るにつけ、この国ではたびたびそういうことが起こり続けてきたのだろう、とすら思った。だからこそ、そうして語り継がれていくことの強さも感じた。

そのひとたちは歴史から消えない。誰かがこうして語り続ける限り。

話の内容はかなりずしんとくるものだったが、堀江さんの声はソフトで直接話を聞けたことに希望にも似た喜びを感じた。

「風間さんの作品は見ましたか」と聞くと、「ええ、もちろん!」と答えた。

「あの展示の初日、最初に会場に入った客がわたしだったんですよ。台風が来ていて午後から風雨がひどくなると聞いていたので、午前中に急いで会場に行きました。そうしたら風間さんがいらっしゃって、お話をしながら作品を見させていただきました」

そうか、あの「コンクリート組曲」を最初に見たのは堀江さんだったのか。

日本の経済発展の陰で谷底に消えた声。それを生き返らせたふたりは、どんな会話をしたのだろう。様々な人が手を伸ばし合って触れ合い、わたしたちは谷間に消えた声をかすかに聞いた。しかし「黒三」ダムの完成から八〇年。日本では聞くに耐えないようなヘイトスピーチがネットや街中に流れ、あったことを無きものにする歴史修正主義がわたしの周囲にすらヌルヌルと入り込もうとしている。


こうして原稿を書いているいまも、「日本人としての宿題」は終わっていないじゃないか——。

日本政府は国内の労働者不足を補うべく外国人技能実習制度という国家政策でアジア諸国から労働者を募っている。しかし、政策に応じてきた人々が直面する過酷な労働環境や差別に対するひどい苦しみの声は、あちこちから漏れ聞こえてくる。これだけの時間が経ったにもかかわらず、あのころと変わっていない。会社のため、経済発展のため、国家のためと、大きなもののために人間を犠牲にするやり方がいまもまかり通っている。それが悔しくてなんなんだ。

そしてわたしは――。

原稿を書きながら、自宅で「風間サチコ展　コンクリート組曲」の図録を開き、《ディスリンピック２６８０》を眺めている。

版画の中央に浮かぶ卵を割る神の手。

それを見ていると、なんだかんだとわかったようなことを書いた自分の中にこそ、ある種の差別意識が息づいていることに気がついた。五年前、娘を妊娠中のこと。障害がある子が生まれてくる可能性を医師から指摘されたわたしは、その夜号泣した。あのときに感じた大きな動揺。あれは、障害を持つひとに対する差別意識ではなかったと言い切れるのか――。

半分忘れていたあの日の記憶は、その後も消えない火のようにくすぶり続けた。

参考文献

吉村昭『高熱隧道』新潮文庫
内田すえの、此川純子、堀江節子『黒部・底方の声　黒三ダムと朝鮮人』桂書房
荒井裕樹『障害者差別を問いなおす』ちくま新書
千葉紀和、上東麻子『ルポ「命の選別」誰が弱者を切り捨てるのか？』文藝春秋

第10章

自宅発、オルセー美術館ゆき

二〇一九年の年末は、マイティがわたしの実家に遊びにきて、みんなですき焼きを食べながら年を越した。『NHK紅白歌合戦』にはマイティが大好きな星野源がミュージシャンと「おげんさん」のひとり二役で出演したほか、なんと「AI・美空ひばり」が三〇年ぶりの新曲を披露した。

「新曲なんて興味ないよ」とわたしは文句を言った。「どうせなら『川の流れのように』がよかった」

そう言いながら気づいた。あ、それだったら過去の映像で十分なのか、新曲だからこそAIまで使ってひっぱり出す価値があるんだね。でもこれってどう考えても「美空ひばり」じゃないよ。人々の執念が作り出したひばりの生き霊もどき?

ボルタンスキーのランプ人間だったら質問してくれるかもしれない。

――ねえ、死んだあとに無理やり復活させせられるってどういう気分?


年明けには、白鳥さんの友人が何人も東京都現代美術館に集まり、賑やかに作品鑑賞をした。

東京都現代美術館は、マイティにとって思い出深い美術館である。高校生のころマイティは入学した学校に馴染めず、勉強も学校生活も楽しめなかった。ある日、学校の壁に貼ってあった展覧会のポスターを見つけ、ひとりで足を踏み入れたのがこの東京都現代美術館だった。

「あの日、初めて現代美術の作品を見たんだけど、アーティストがまったく新しい角度で世界を見ていることが伝わってきて、こんなに自由でいいんだって思った。それまで自分は高校生活をなんとかよくしなきゃいけないとか、そういうことで悶々《もんもん》と悩んでいたんだけど、そんな悩みが全部とっぱらわれて、それから人生が楽しくなったの」

ドレッドヘアの友人

三月には、マイティと白鳥さんと三人で静岡に行き、白鳥さんの二十年来の友人のホシノマサハルさんのアトリエに遊びにいった。ホシノさんは白髪交じりの長いドレッドヘアを背中まで垂らしている。シルクスクリーンの摺師《すりし》で、スタジオはシルクスクリーン作品でできた森みたいだった。

「おお、けんちゃん、よく来たねー」ホシノさんは顔をほころばせた。

ホシノさんと白鳥さんは、一九九八年に開催された「メビウスの卵展」（五感で体験するアート&サイエンスの展覧会）の関連企画で出会った。白鳥さんがひとりで美術館めぐりを始めて間もないころで、一方のホシノさんは一一年間住んだアメリカから帰国したばかりだった。まったく違う人生を歩んできたふたりだったが、すっかり意気投合したらしい。

「けんちゃんはねえ、白鳥建二はいい子じゃないんですよー、だから馬が合う！　うわははは！」とホシノさんは豪快に笑った。

ホシノさんは、前述した「目の見えない人と観るためのワークショップ――ふたりでみてはじめてわかること」（一九九九年）を企画したエイブル・アート・ジャパン（旧日本障害者芸術文化協会）

の理事をいまも務める。「ミュージアム・アクセス・グループMAR」の主要メンバーでもあり、多くの作品を白鳥さんやほかのメンバーと見てきた。さらに二〇〇四〜〇五年にかけては、仙台（せんだいメディアテーク）、富山（富山県立近代美術館）、神戸（神戸アートビレッジセンター）、札幌（北海道立近代美術館）などをめぐり、白鳥さんと一緒に全国で鑑賞ワークショップを行った。

「荒野なんだよ！　けんちゃん（白鳥さんのこと）とアートを見るっていうのはさ、要するにみんなで荒野に行くようなもんだよね！」

話をする中で、ホシノさんは言った。わたしは、そうですね、荒野なんですよね！　とワクワクしながら頷いた。ホシノさんの纏う空気は、ほかの誰でもないホシノさん独特のものだ。「自由」とか「海のむこう」という言葉が似合いそうで、ゆるゆるとした流れの川みたいなんだけど、実際に手を突っ込むとあちち！　と叫びたくなるような熱もあった。アメリカで最後に住んでいたロサンゼルスでは元受刑者やマイノリティに向けたコミュニティベースのワークショップ活動に取り組んでいたという。わたしはホシノさんの佇まいに魅了された。

わあ、白鳥さんにはこんな面白い友だちがいたのね、よし、こうなったらもっといろんなひとたちを巻き込んで作品を見ていこう、なんだったらさらなる荒野を求めて外国の美術館とかに行くのもいいかも、という話で盛り上がった。

ところが、四月になると不気味な翼を広げながら「コロナ禍」がやってきて、頭上を覆い尽くした。緊急事態宣言が発出され、世の中の空気も一変。美術館も軒並みクローズし、星野源も「うちで踊ろう」とギター片手に呼びかけ、前代未聞のステイホーム状態が始まった。わたしたち家族も狭い1LDKのマンションに閉じこもり、限られた空間と時間で、家事と育児と原稿執筆の三つをジャグリングし、すっかり息切れ状態だった。執筆はもはや最低限の量をこなすだけで精一杯。時間がないというより、書きたいという気持ちがまったく湧き起こらない。テレビもネットも酷《ひど》いニュースで溢れていた。わたしは、薬局をめぐってマスクの売り切れを確認し、ネットカフェから追い出されたひとの記事を読んでホームレス支援の団体に寄付を行い、洗濯機をやたらとまわし、朝起きると頭から悪夢を追い出し……となにかと忙しかった。唯一よかったことは、娘が思いのほか楽しそうだったことだ。〇歳《ゼロ》から保育園に通っている娘とこんなに長い時間一緒に過ごせるなんてもうなかなかないだろう、イヤなことのなかにもひと欠片《かけら》のいいことはあったりするもんだ。

夕方になるとコートを着て公園に行き、コンビニのコーヒーを片手に友人たちに電話をかけた。水戸芸術館もイベントやワークショップの開催ができなくなり、マイティは「自宅でできるワークショップキット」を制作したりして大変そうだった。仕事をロクにしていないわたしは、「三食ご飯を作るってめちゃくちゃ大変だね。もう冷凍ピザが大活躍だよ」とたわいもない話をし、愚痴を言ったりしているうちに気分が晴れた。

「白鳥さんは元気かな」

そう聞くと、マイティも「元気だと思うんだけど、さすがに会えていない」と言う。

「そうなんだ、じゃあ今度、電話をしてみよう」

さっそく白鳥さんに電話をすると、いつも通りの口調で「あー、俺の生活はあんまり変わんないけど、外に飲みにいけないし、仕事もないから、ずっと家にいるよ」と言う。その口調にはこころなしか覇気がなかった。せっかく前年からマッサージ師を辞め、「全盲の美術鑑賞者」として歩んでいこうと決意していたにもかかわらず、決まっていた鑑賞ワークショップが次々とキャンセルになってしまっていた。しかも、この先の見通しもまるで立たない。いまや誰かと会うこと、会って言葉を交わすこと自体がリスクを伴う行為となり、美術館はもはや「対話型鑑賞」どころではなかった。

今度、オルセー美術館に行こうよ

そんななか、いくつかの美術館では、グーグルのストリートビューで館内を歩きまわったり、作品を見たりできるという記事をウェブ版「美術手帖」で発見した。

いいね、これだと思った。ズーム（Zoom）で繋いでバーチャル鑑賞をすればいいんだ。さっそくマイティに相談すると、「じゃあ、やってみるかー」とノリよく答えた。

ふたりで相談し、前半はわたしが白鳥さんに見せたかったホッパーの《ナイトホークス》を鑑賞し、後半はストリートビューでオルセー美術館を訪問しようという話にまとまった。

うん、われながらいいプランである。

しかし、数日後にマイティから電話があった。

「それがねー、白鳥さんはバーチャル鑑賞に興味ないみたい」

え、そうなの？　どうして？

「理由はよくわらないんだけど、気が進まないって」

えー、そうなんだ。

わたしはがっかりすると同時に、なんだか腹立たしく感じた。なにごともやってみないとわからないじゃない、世界がこんな状態なんだからとにかく新しいことをやってみようよ、という思いを込めて白鳥さんにメールを送ったけれど、返信はなかった。白鳥さんは、技術的にはまったく問題なくメールを使いこなす。どうやっているのかは知らないけど、漢字の選び方もほぼ正確である。しかし、返信に関してはかなり気まぐれで、すぐに返信が来ることもあれば、まったく来ないこともあった。二日くらいして、こりゃ返信がないほうのパターンだなと悟った。

わたしは、いじけ気味に、いいもんひとりだってとiPadでストリートビューを立ち上げてパリに飛んだ。ナナオも近寄ってきて「なにやってるのー」と聞くので、いまからパリの美術館に行くんだよ、と言うと「ナナも行きたい」と言うので一緒に画面を操作した。

一足飛びにオルセーに行くのもつまらないので、まず一〇年前まで自分が住んでいたサン・ジェルマン・デ・プレの街を画面に呼び出した。そこからセーヌ川沿いの道を西に進み、橋を渡ればそこがオルセー美術館だ。パリに住んでいるころ、よくこのルートをジョギングした。川の向こうに美しい大時計が見えてくると、いつもなんて美しい建物なのだろうと思った。

ところがストリートビューでは、すぐに方向感覚を失ってしまった。ナナオが「わたしもやりたい」と言って適当にクリックするから事態はさらに悪化した。ぐるぐるまわる画面に半ば酔いながらなんとか美術館にたどり着く。しかし今度は入り方がよくわからない。えーい、クリック、クリック。闇雲にクリックするうちに急に内部にワープしていた。

ねえ、美術館に着いたよ、と娘に声をかけたがすでに興味を失い、レゴで遊んでいた。いいもん、ひとりだって行けるもん。

まずは彫刻作品が並ぶホワイエ（広い通路）に出たようだ。

おお！

そこには誰もおらず、まるで休日の美術館に忍び込んだみたいだ。すぐに絵画展示室に向かうと、いきなり目の前にゴッホの《自画像》（一八八九年）が現れた。普段だったら人垣ができている場所だ。嬉しくなってわたしは画面上で絵に思いっきり近づこうとした。しかし、ある一定以上は近づくことができない。

なんだよ、せっかくだから至近距離で見せてくれればいいのに。まあ、いいや。どこかにエドガー・ドガ（一八三四〜一九一七）の《ダンスのレッスン》（一八七三年）があるはず。あれが見たい。

小学生のころ朝日新聞の日曜版でこの絵に一目惚れして以来、自分の部屋でよく眺めた。日当たりの良さそうな古い床板の練習室で、小さなバレリーナたちが先生を取り囲んでいる。先生はちょっと偉そうだが、少女たちは思い思いの格好で話を聞いている。踊り出す直前の風景にも見え、見るたびにドキドキした。

どこにあるんだろう。しばらくクリックを続けたが、展示室にあるのか、そもそもオンライン上にはないのか、見つけることができなかった。しかし代わりにドガの別の作品があった。うーん、でもやっぱりこれじゃないんだよなあ。

次から次へと現れる名画。しかし、なにかが欠けていた。なにかが足りない。

そうだ、あの大きなアーチ型の窓が見えないじゃないか。

オルセー美術館はもともと長距離列車のターミナル駅で、一九八六年に美術館に改修された。だからいまも美術館の内部は駅舎だったときの雰囲気をたっぷりと残していて、巨大なアーチ型の窓と装飾のある時計は美術館のシンボルだ。無性にあの窓が見たかった。そうだ、いったんホワイエに戻ればいいはず。でもどこをどうクリックしたらそこまでたどり着けるのだろうか。

何度かやみくもにクリックしたあと、急速にどうでもよくなり、iPadをソファの上に放り投げた。インスタグラムを立ち上げると、パリの写真とともに「ストリートビューでパリを散歩した、あー面白かった」と投稿した。ちょっと悔しかった。


ねえ、ママ、絵を描きたいんだけど絵の具出して、とナナオが言い出したのはその数日後のことだ。最近ナナオは絵の具を混ぜると新しい色ができることを発見していた。赤と青を混ぜると紫。赤と黄色を混ぜるとオレンジ。赤と白でピンク。

「見て、いろんな色ができるよ！！！」

ナナオはパレットに次々と絵の具を出し、惜しげもなくぐしゃぐしゃと混ぜ合わせた。色数が増えるごとに黒くなっていくので、絵の具がもったいない気がしたけれど、やりたいようにさせた。

そうして、たくさんの色を作ったあと、ナナオは指先に直接絵の具をつけて画用紙にペタペタと塗った。画用紙には様々な色のドットが増えていく。

なにを描いてるの？　と聞くと、少し考えたあとに「えーと、これは虹色の雪」と答えた。いい絵だなと思った。

その日、わたしは日記代わりのブログにこう投稿した。

混じる、混ざる、交じる。

いいよなあ。そう、わたしたちは交わりたいんだ。

一色でもなく、二色でもなく、無数のグラデーションの中で暮らしたい。大切なものを真ん中に抱きしめながら、たくさんの色に囲まれて暮らしたい。

虹色の雪。降るといいね。そのうちね。

自分の中の優生思想

緊急事態宣言があけ、県境を越える移動が許された六月の終わり、白鳥さんにメールを送った。

ちょっと聞きたいことがあるので電話で話せないでしょうか。風間サチコさんの展示についてです。具体的に言うと、優生思想についてです。

今回はすぐに返信があった。

やぁ！　今回はやばいテーマですねぇ！　直接会って話したいくらいです。久々に都内にも行きたいので出向きます。

会って話せるのはありがたい。本音を言えば、これは電話で済むような用件ではなかった。

ＪＲ恵比寿駅の改札で待ち合わせをして、わたしが母や妹と一緒に運営するギャラリー「山小屋」に向かった。自分たちが好きなアーティストを紹介するために始めたのだが、この八年で想像を超えたすばらしい出会いを生み出してくれ、いまや人生になくてはならない大切な場所になっていた。しかし、その「山小屋」も二カ月間にわたり閉めたままで、このままだと存続させていくこと自体が難しいのかもしれなかった。

お茶を淹《い》れて、椅子に腰をかける。今日話したかったのは「風間サチコ展　コンクリート組曲」の図録で気がついてしまった自分の内なる差別意識のことだった。

わたしは優生思想や差別を嫌悪してきたが、それらの芽は自分の中にもしっかりとあった。なにしろ障害を持つひとへの差別を非難しながらも、その一方で自分が当事者になることはひどく恐れていたのだ。まったく身勝手な話ではないか。妊娠中のあのとき、わたしはなにを恐れ、なにに対して泣いていたのだろう。生まれてくる子の未来なのか、障害を持つ子の親になることだろうか。なんだかんだと言うわたしの中にも「障害者は不幸だ」という意識が根底にあったのではないか。

とにかく、一枚の版画をきっかけにそんな無自覚な差別意識や矛盾がくっきりと見えてしまい、落ち着かなくなった。

わたしはひと通り自分が感じていることを話し、「ねえ、どう思いますか?」と白鳥さんに直球でぶつけた。するとと彼はあっさりした口調で答えた。

「優生思想を考えるうえで、いま障害があるひとに対してどう接するのかという『差別』の問題と、それ以前に生まれてくる障害者を減らそうという優生思想的な考え方、そのふたつは切り離して考えないといけないと思うんだよ。それでふたつ目の点でいくと……、別に研究したわけじゃないけど、多くのひとの中にやっぱり優生思想はあるんじゃないかなあ」

その返答は、わたしの予想とはまったく違っていて気持ちが激しくざわついた。話の続きが気になり、白鳥さんが話すことにじっと耳を傾けた。

「例えばだけど、子どもが生まれるときに、障害者を知っているひとだったら、少しくらい障害があってもなんとかなる、元気であればいいよ、というひともいるよね。でも、じゃあ、そのひとも自分の子が無脳症とかでもいいかといえば、そこまでは受け入れられないと考えるかもしれない。それって優生思想とも言えるわけだよね」

「うん……。つまりは、障害にも序列があって、レベル1はいいけど2は受け入れられないというひともいるってことだよね」

「誰がなにに対してどれくらい優生思想があるかというのは、俺は研究者ではないからわからないけど、ほとんどのひとになんらかのレベルの優生思想はあるんじゃないかと思う」

「うーん、そうかなあ、本当にそう思う？　じゃあ、白鳥さんの中にも優生思想はあるの？」

「うん、あると思う。いや、あった。例えば、俺も盲学校にいるときは、盲人らしくないことに憧れるみたいなところがあって、例えば全盲のひとがスタスタどこでも行きたいところに行くとか、魚料理をきれいに食べられるひとがいると、すごいな、羨ましいなと思ったり。その一方で、できないひとに対してマイナスのイメージがあったんだよ。裏を返せば、盲人らしくない行動の根底にあったのは、『健常者に近づくことはいいことだ』という一種の差別意識や優生思想だったのかもしれない」

「そっか……」。思考がめまぐるしく動き、声を絞り出すのがやっとだった。

「うん、だから優生思想なんてとんでもない、差別はダメだ、って言うんじゃなくて、程度の差はあれ、差別や優生思想は自分の中にもある、まずはそこから始めないといけないと俺は思う」

ディスリンピックと千手観音が伝えるもの

白鳥さんはお茶を飲み、世間話のような口調で語った。流れるように言葉が出てくるから、白鳥さんがこの問題に自分なりに向き合ってきたことがうかがえた。

前にも書いた通り、白鳥さんが生まれた時代は、「障害のある子は不幸だ」と一部行政が積極的に広報するような時代だった。いまあれから五〇年以上が経ち、そういった広報活動は姿を消した一方で、日進月歩で医療技術は進み、いまや遺伝子上の難病や障害はいくつものカテゴリーに分類され、なにをどこまで治療すべきか、という議論が行われている。それは果たして優生思想なのかと問われれば、救う命と救わない命の間になんらかの線引きがなされる以上、確かにそうなのかもしれなかった。だから、急激に変化し続ける現実の中で「優生思想なんかとんでもない」と単純に叫ぶのはむしろ思考停止なのかもしれない。

差別の問題もまた単純ではない。差別をめぐる心理は上と下、仲間と敵、白と黒といった単純な二項対立ではない。わたしは以前、世界中のひとが働く国連組織に身を置いていたのだが、まさに色々なベクトルの差別を見てきた。マイノリティがほかのひとを差別しないわけではなく、むしろマイノリティがほかのマイノリティを攻撃する場面も多く見た。人種差別には非常に敏感なひとでも、ジェンダー問題や性的マイノリティへの差別には鈍感なひともいた。一見オープンでなんの差別もしないように見えていても、実際はただ自分と異なる属性のひとに無関心なだけというひともいた。差別や偏見を映す地図もまた複雑化している。だからわたしたちは、そういった複雑な現実を知ったうえで、なお差別や優生思想を拒んでいかないといけないという大変な時代を生きているのだ。

しかし、ちょっと待った。白鳥さんの「魚をきれいに食べられるようになりたい」という気持ちの根っこにあるものは、本当に優生思想なのだろうか。いわゆる「向上心」とどこが違うのだろう。

確かに白鳥さんは何度も言っていた。自分が美術館に通い始めたのも、写真を撮り始めたのも、「盲人っぽくない行動」をしたかったからだったと。そう考えると、白鳥さんが通常の盲人にはできそうにない特別な経験を求めていたことは確かだ。しかも、そこには無意識の差別や優生思想がベースにあるのではないかと白鳥さんは振り返る。

「どういうきっかけで、そういう自分に気がついたの？」

「二〇代後半あたりかな。全盲のひとでいくら練習をしてもマッサージがうまくできないひとがいて。あと、洗濯物をうまく干せないひともいた。俺も全盲だから、見えないならこういうやり方で練習したらうまくいくんじゃないとかアドバイスしても、そのひとはできない。でもさあ、そもそも『できる』と『できない』は、プラスとマイナスじゃないんだなって、できなくても全然いいんだよなって気がついた。それが二〇代のころだから、気づきはだいぶ遅かったと思うよ」

ああ、そこだ。そこなんだ。

いまわたしたちが生きる日本社会には、「成長はすばらしい」「便利になることは進歩だ」「働いて、稼いで、社会に役に立てるひとになろう」という能力主義的な思想がいたるところに埋め込まれている。わたしの中にもそういうイデオロギーは確実に流れ込んでいて、正直に言えば、自分もその思考に絡め取られ「もっと頑張らなきゃ」と思いながら生きてきた。

そういったものの最小単位は個人の「成長」で、いわゆる「自立」がひとつのベンチマークになっている。だからわたしも、幼い娘が自分で着替えられるようになったら拍手し、本を読めるようになったら褒めてきた。できたね、すごいね、と。

もちろん成長はポジティブな変化なわけだが、その一方で、働いて社会に役立つ人間や人の「能力」ばかりを評価し、その人の存在自体を肯定しないような社会は、すべてのひとを包み込めないし、幸せにもできない。働きたくても働けないひともいるし、ひとり暮らしが難しいひとも多くいる。わたしだってなんらかの事情で働けなくなる日がほぼ確実にやってくるだろう。障害や病ではなくとも、災害や解雇や、そんなものですらない、ちょっとした人間関係のトラブルやつまずきで暮らしが立ちゆかなくなってしまったという話はそこかしこに転がっている。さらに言えば、自分で「自立している」と信じているひとですら、家族や会社、サービス、テクノロジー、自然資源、恵まれた環境、親が残してくれた遺産など、なんらかのものに支えられていて、なにかを失ったとたんに人生につまずいてしまう可能性は誰にでもある。

かつて行政が積極的に障害を持つひとを「不幸」と決めつけてきたことや、人生につまずいてしまったひとを「自己責任」で片づける昨今の風潮、そしてなにかが「できる」という「能力」ばかりに人間の価値を置いてきたことが、いまさらながら様々な形のひずみを日本社会に噴出させている。

「風間さんの『コンクリート組曲』は、開発や経済成長を続けていくことに対して疑問を投げかけていたよね。例えばダム開発は日本の近代化を支えたけれど、その陰で失われるものはたくさんあった。村とか、共同体とか、命とか。でも、社会、国、人間は成長し続けないといけないのかな。人生は、いい家に住んだり、物をたくさん買ったりとか、それだけじゃないはずだよね」とわたしが言うと、「そうだね、例えば、俺たちはバックしてもいいはずだよね！」と白鳥さんは答えた。

「うん。そのままでいる、でもいいよね。『できる』ひともいるし、『できない』ひともいる。それでいい」と白鳥さんは答えた。

なにかをできるようになるとか、素敵な自分になりたいと願うことは健全なことだ。しかし、それが「もっと○○するべき」「わたしは努力したんだから、あなたも努力するべき」「常識ではこうだから」と勝手な「べき論」を他者や社会全体へ向けると差別や分断、生きづらさに変わる。すべてのひとは違うし、違ったままでいい。異なる他者、他者とは異なる自分を受け入れられたら、世界はもっと虹色の雪に近づくかもしれない。

「白鳥さんはそこに気づいてなにかが変わった？」

「別に劇的に変わったわけではないけど、徐々に視野が広くなっていった。ああ、ひとそれぞれ違いはあるんだけど、そのままでいいんだって」

このとき、白鳥さんが「視野が広くなった」という言葉を使ったことで、わたしはあの奈良で見た千手観音を思い出した。

八〇〇年も前に作られた観音像は現代に伝える。

――あまねくみる――

表現方法が異なるだけで、究極的には《ディスリンピック2680》と千手観音は同じことを言わんとしているのかもしれなかった。そして障害のあるひととないひと、あらゆるひとの作品を並列に置く「はじまりの美術館」、七万人のひとの心臓音を集める《心臓音のアーカイブ》も――。

作品は伝え続ける。

いまこの瞬間にも、ひとつとして同じではない命が燃え続けていることを。

しかし、わたしは観音さまではない。ただの人間だ。わたしは自分の毎日を生きることに必死で、東京の小さなマンションに住む自分をデフォルトにして周囲を眺めることしかできない。

唯一できることは、自分がいま見ていないその場所に七七億人の命があり、それぞれ与えられた時を生きていることを絶えず想像することだ。わたしはすぐにそれを忘れてしまうから、多少の努力を伴う。努力というと汗くさいけど、本を読み、旅をし、美術作品を見て、隣にいるひとと話すこともそのひとつだ。そこで得たわずかばかりの知識と想像力を駆使し、ステレオタイプなものの見方や「人間はそういう生き物だからしょうがない」という無力感と訣別《けつべつ》していく。知らないものに慄《おのの》いたり、壁を作るのではなく、あるがままの存在に手を伸ばす。

そうしていま起こっている現実を知ったうえで、目の前に不愉快な差別や優生思想の芽、耐えがたい非道が目の前に現れたとき、千手観音が無数の道具や武器で世界を救うように、わたしも非力ながら声をあげ、それらをぶっ叩いていく人でありたい。世界の複雑さや自分の無力さを盾にしながら、ただぼおっと中立でいることはもはやできない。

幻の猪苗代湖

夕方の風が気持ちよかったので、カフェに向かった。スペイン風の赤を基調とした装飾のレストランのテラス席を見つけ、わたしはサングリア、白鳥さんはビールをオーダーした。まだ世の中ではステイホームが続いていて、路上に人影はなく、店の客はわたしたちだけだった。

「気持ちのいい日だねー」とわたしは言った。初夏を思わせる日差しでしばしコロナの閉塞感から解放された。

「そういえば、この間、ストリートビューでオルセー美術館に行ったの」

「あー、どうだった？　そこには周囲の音とか入ってるの」

「いや、音は入ってない。誰もいないから。ま、そこまで面白いものじゃなかった。いまコロナでどこにも行けない状況だから少し面白いけど、普段だったらやっぱり行かないかな。美術館はリアルで行くほうがいい、それがわかった」

「へー、そうなんだ」

「それにしても、白鳥さんはなんでバーチャル鑑賞に気が進まなかったの？」

すると、これまた実に予想外の答えが返ってきた。

「いや、それがさあ、俺はなんか自分が存在している感覚が希薄なんだよねー」

は？　どういうこと、とわたしは聞き返した。

「だってさあ。数年前の自分といまの自分が同じだって、不思議だと思わない？」

言葉の意味がつかめないまま、「そうかな？」と相槌を打った。

サングリアとビール、チーズが運ばれてきた。

「だってさあ、過去の記憶って思い返すたびに上塗りされているわけだから、どんどん変わっていくわけじゃない？　そういう意味では、自分の記憶だと思っているものは、常に新鮮な状態の〝過去の記憶〟じゃない？」

上塗りと聞いて絵の具の色が混ざっていく様が思い出された。

わたしは甘すぎるサングリアをすすりながら曖昧に頷いた。世間話を始めたつもりなのに、まったく意外すぎる方向に話は進んでいた。とりあえずは白鳥さんが話すままに任せた。

「そんで、これは子どものころからなんだけど、俺はさあ、手元が落ち着かないわけよ」

白鳥さんは、よくテーブルに着くなり見えないピアノを弾くような動作をする。トントン、とかすかな音がする。気にしたことはなかったけど、確かに手元が落ち着かない、といえばそうだった。

「うん、それで？」

白鳥さんは指先を動かしながら話を続けた。

「こうしていると、ここに自分がいま存在していると確認できる。でもなにもせずにじっとしていると、周りとの関わりがわからなくなって不安になる……いや、不安っていうほどのものでもないんだけど」

――なにかに触ることで、自分が存在していることを実感できる。

これと似たような話を読んだことがある。哲学者の青山拓央《たくお》は、著書の中で「少し恥ずかしいのだが、あまり共感を得られないであろう自分の癖を一つ書いてみる。日常生活のなかでふと、周囲に聞こえないくらいの声で『今』とつぶやく癖を私はもっている」と告白する。

その作業において、私はいわば、自分の人生に時間的なしおり、、、を挟んでいる。ここまで読んだというしるしで本にしおりを挟むように、ここまで生きたというしるしで人生にしおりを挟むわけだ。そんなことがわざわざ必要なのは、人生全体をどこまで生きたかが何となくボンヤリしているからだが（後略）（『心にとって時間とは何か』）

人生でどこまで生きたかがぼんやりする。白鳥さんが言わんとすることはこれに近いだろうか。

いま、白鳥さんは細く目を開けている。その瞳にはわたしの顔が反射しているけれど、その光は瞳の向こう側にまでは届かない。

「だからさあ、こうして誰かと話したりしてれば、いま自分がここにいるというのは間違いないと思うんだけど」と白鳥さんは言った。

「――それってさ、目が見えないことと関係あるのかな？」

「いや、見えないからだけじゃない気がするんだよね。ひとによっては接触が過多なひともいるでしょ。あれと同じなんじゃないかな」

「うん、子どもとかやたらくっついてくる。あれもなにかを確かめようとしてるのかな。ひととの距離みたいなもの」

「そうそう。だから、自分の前にひとがいないバーチャル鑑賞だと、なんか距離の保ち方が難しい気がしてさ。俺はさあ、電話でも不自然になるときがあって」

「あれ、電話は苦手だった？」

「苦手だね、どっちかというと」

絶句した。次々と意外な話が出てくる日だった。白鳥さんは時おり電話をかけてくる。だから、むしろ白鳥さんは電話が好きなのだと思っていた。

頭の中で小さな光が点灯した。わたしはなにか大きな勘違いをしてきたのだろうか。

「ねえ、それって実際に顔を合わせることで、いろんな情報を受け取っているってことだよね。ということは、鑑賞のときも言葉とか会話はひとつの情報でしかなくって、空気とか雰囲気とか、そういうものから多くのものを受け取ってるってことだよね」

「そうそう、そのひとがどっちに向いて話してるのかとか、声の大きさとか。距離とか」

「なるほど、大切なのは言葉とか耳からの情報だけじゃないってことか」

そっかー、そういうことか！　少し興奮して、身を乗り出した。

わたしは、自分の巨大な勘違いに気がついた。それまで、白鳥さんは言葉や会話から多くの情報を受け取っていると思い込んでいた。だから、美術鑑賞も、言葉さえ耳で聞くことができればなんとかなるだろうと思っていた。しかし言葉が運ぶものは「多くの情報」かもしれないが、「情報の多く」ではなかった。この違いは大きい。

そうだ、例えば声。人間が発する声というのは、ただの言葉の乗り物ではない。

ひととひとが一緒にいて、口から流れ出た空気で、わたしたちの間にある空気が震え、風になる。その風は暖かいかもしれないし、冷たいかもしれない。ビリビリするようなものかもしれない。そういう物理的な変化をすべてひっくるめての声であり、言葉だった。

「だから、オンラインじゃダメだったんだ」

「そうなんだよ。VRが進歩してほんとにそこで話しているようだったら違うのかもしれないけど。でもいまのオンラインって電話の延長線上じゃない？」

うん、うんとわたしは頷いた。

わたしたちの身体もまた多くのメッセージを発している。匂い、仕草、体温。それに白鳥さんはもともと誰かの肘に触れることで多くを感じとる。せっかちなのか、おっちょこちょいなのか、信頼できるひとなのか、そういう皮膚感覚や耳や鼻からの情報のすべてが重層的に重なり合ってひとつの記憶になる。

そして美術作品もまた物体としてのエネルギーを発している。ランプ人間の冷ややかさ、大竹伸朗が描く荒々しいタッチや紙の重なり。そういうすべてがただの物体だったものを作品たらしめる。そして、その作品と鑑賞者をまるごと包み込むのが美術館である。ああ、だから画面上でやりとりするバーチャル鑑賞には、美術鑑賞を「体験」に変えてくれるものが決定的に欠けているんだ。

そう考えている間にも、白鳥さんはビールのジョッキを空にし、指を軽くトントンと鳴らした。

そうだよ、白鳥さんはことあるごとに言っていたではないか。俺は美術が好きなんじゃなくて、美術館が好きなんだ、と。

目が見えない白鳥さんというひとが自分の実存を確かめる手段として美術館があった……そう言ったら言いすぎだろうか。

いや、彼だけじゃなく、わたしたちは、誰もがなんらかの方法で「いまの自分」を確かめている。日記を書いたり、SNSに写真をあげたり、誰かに電話したり。

唐突に白鳥さんが写真を撮る理由がわかった気がした。彼もまた「いま」という時間にしおりを挟んでいるんだ。

ボルタンスキー展のあと、白鳥さんはふっと「過去も未来もわからないから、俺はいまだけでいい」と言っていた。あれはカッコつけなんかではなく、彼はかなり本気で「いま」ここにいる「自分」しか確かなものはないと感じているのかもしれなかった。

哲学者の中には、世界はたった五分前に作られたという説を唱えたひともいたとか。宇宙はビッグバンから始まった、時間は常に過去から未来に流れている、そう固く信じているわたしもあなたも、もしかしたらこの五分間を延々にループしているのかもしれない。いや、そんなのSFの中だけだって？　うん、そう思う。でも、あまりに馬鹿馬鹿しく聞こえるこの説を理論で覆すことはとても難しいことらしい。

そのほかにも、時間は未来から過去に流れていると主張するひともいる。最初に聞いたときは完全に意味不明だったけど、要するに過去の出来事はあとから意味づけられるということだ。わからなくもない。苦しかった出来事が、時間が経つと良き思い出に変わっていたりする。あのときがあったからいまの自分があるんです、みたいにあとづけの解釈が過去に意味や価値を与える。その瞬間、わたしたちの認知はぐるりと回転し、時間は未来から過去に流れ始める。

そういえば、わたしの祖母は晩年認知症を患っていた。会いにいくと、祖母はわたしのことはすっかり忘れているんだけど、祖母が溺愛していたわたしの父のことはしっかりと覚えていた。祖母は奇妙なことに父のことを「社長」と呼び、「いまから社長さんが来るから、お掃除せなあかん、ごめんなあ」と言う。祖母がわたしの父を「社長」と呼んだことはこのときまでなかった。父は確かに小さい会社を経営していたが、二年前に死んでいたから、おばあちゃんはもはや過去の時間を生きているように見えた。それでいて「いまから社長さんが来るんやで」と顔をほころばせている姿からは、希望を持って未来を生きているようにも見えた。あれもまた時間がぼんやりしていただけだったのかな。

この膨大な時間の流れの中で、わたしたちの存在は儚《はかな》い。

見えている世界も、どれほど真実なのかだって確証が持てない。なにしろわたしたちは、原っぱが湖に見えたり、黒人が白人に見えたり、ランプが人間に見えたりする。フィクションとリアルの間を何度も行き来する《マジシャンの散歩》のように虚構と現実、未来と過去は隣り合わせで、むしろ複雑に入り組んでいるのかもしれなかった。わたしたちが見えていると信じているもの、起こったと信じている過去の記憶は、どれくらい信じてよいのだろう。

そうだ、自分の過去の記憶だって――。

あの猪苗代への旅からしばらくして、わたしは母と話した。ねえ、お父さんと家族で旅行に行ったよね、ボートに乗って、猪苗代湖がきれいだったよね。ナナオとあの湖を見にいったんだよ。

するとと母は意外なことを言った。

「あれはね、猪苗代湖じゃなくて、五色沼《ごしきぬま》だったと思うよ、ボートはどうだろう、乗ったかな？」

しかもクルマで行ったという。なんとわたしは猪苗代湖にも猪苗代駅にも行っていなかった。すべては思い込みだった。駅を降りて懐かしいと感じた気持ちすらも幻想だった。じゃあ、わたしの中で確かに存在しているあの光景はなんなんだろう。母がいて、妹がいて、父がいて――。

過去も未来も不確実なものだとしたら、わたしを現実に繋ぎ留めてくれるものは、「いま」という瞬間に違いなかった。たとえば甘すぎるサングリア。そして目の前でビールを飲んでいるひと。

「また、美術館に行きたいよね」

そう言うと、「うん、行きたいねえ」と白鳥さんは細い目をしばたかせて答えた。

「こうなったら、どこか野外の彫刻作品でもめぐろうか！」

「それもいいね」と彼は答えた。

そのとき思いついた。

「ねえ、次はみんなで新潟に行こうよ。夢を見にいくの」

参考文献
青山拓央『心にとって時間とは何か』講談社現代新書

第11章

ただ夢を見るために

マリーナ・アブラモヴィッチ《夢の家》

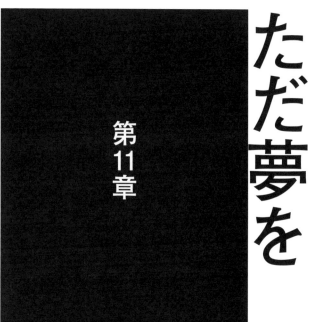

こんな夢を見た。

某韓流スターによく似た男が、布団に横たわるわたしの顔を覗き込んでいる。

なんだこれ、ひゃあ、どうしましょう！

ただ心から残念なことに、わたしはもうすぐ死ぬ運命にあった。だから悔し涙を流しながら、告げた。

「わたしはもう死にます」

「すごく血色もいいし、あんまり死にそうに見えないよ」

「いや、本当に死ぬんです」

せっかく出会えたんだから、あれやこれやをしたりしたいのだが、どうやらわたしが死ぬことは決定事項のようだった。出会ったばっかりで別れるなんていやなんですが、と訴えても無駄らしい。せめてもう一度だけ会いたい。そのとき思いついた。あ、そっか、生き返ればいいんだ。輪廻《りんね》転生云々《うんぬん》については詳しくないけど、やってやれないことはないだろう。ただ、生き返るまでにどれくらい時間がかかるのだろうか。常識的に考えると、たぶん来月とかではないだろう。

わたしは最後の力を振り絞った。

一〇〇年待っていてください。それだけ時間があれば、きっと大丈夫です。

『夢十夜』（夏目漱石）の完全パクリだって？　しかもそんな都合のいい夢あるわけないって？　ははは、そう、完全に作り話でした。高校生のときに教科書で『夢十夜』を読んで以来、あの「もう死にます」がくっきりと記憶に焼き付いている。当時キスすらしたことのなかったわたしには、ふたりのやりとりがやたらと艶《なま》めかしく感じた。

それにしても、これくらいドラマチックな夢を見たいものだ。だって、わたしたち夢を見るために、はるばる旅しているのだから。

行き先は《夢の家》（二〇〇〇年）。第一回「大地の芸術祭」のために造られた体験型の作品である。

猛暑日が続く二〇二〇年八月、十日町駅（新潟県）で水戸からクルマで来た白鳥さんたちと合流した。車窓には、夏らしい濃い緑の風景が広がっている。越後妻有《えちごつまり》アートトリエンナーレとしても知られる「大地の芸術祭」は、二〇〇〇年から始まり、七回目となる二〇一八年の来場者は五〇万人を超える人気ぶりだ。あまり知られていないが、実は三年に一度の芸術祭期間中以外でもけっこうな数の作品を見ることができる。《夢の家》もそのひとつだ。

「ねえ、白鳥さんは大地の芸術祭に来たことあるんだっけ」

わたしはクルマの中で尋ねた。白鳥さんは白いハンチング帽を被り、ポロシャツを着て、膝の上に折りたたんだ白杖を置いている。後部座席におさまって居心地がよさそうである。

「あるねー。なんか、色々見たよ。《最後の教室》（クリスチャン・ボルタンスキー＋ジャン・カルマン）とか『コインランドリー』（正式名は《憶測の成立》［目］）とか。あれは、面白かったなあ」
「純也さんは？　大地の芸術祭に来たことある？」

わたしは同乗するもうひとりの男性に尋ねた。

映画『パターソン』のTシャツを身につけた佐藤純也さんは、「それがよくわからなくて。あるような、ないような？」とのほほーんと答えた。純也さんは、アーティストであり高校の美術教師である。以前から彼は、もしわたしたちが《夢の家》に行くときがあれば一緒に行きたいと熱望していた。

「ん？　どういうこと？　覚えてないの？」

わたしが首を傾げると、ハンドルを握るマイティが口を挟んだ。

「あのねえ、純也さんは変わってて、図録とかで作品を見ただけで実際に見た気になっちゃうの。だから前に写真で見たのか、それとも実際に芸術祭に来たことがあるのかわからないんだって！」

どうも彼も過去の記憶が曖昧なひとらしい。それにしても、写真だけで経験したような記憶が形成されるなんて、ある意味ですごい才能の持ち主かも。ちなみに純也さんはマイティの夫である。

まずはみんなでランチでも食べようと、大地の芸術祭のメイン施設である越後妻有里山現代美術館に寄った。広い中庭を囲む開放的な建物に入ったとたん、純也さんは爽やかに言いきった。

「やっぱり（大地の芸術祭に）来たことないや。ここ全然見覚えない！」

白鳥さんは、わははは、そうなんだあ、と笑った。

虹の方向に向かって走って叫べ

午後は地域に点在する芸術祭作品をめぐった。《最後の教室》（クリスチャン・ボルタンスキー＋ジャン・カルマン）、《棚田》（イリヤ＆エミリア・カバコフ）、《関係－黒板の教室》（河口龍夫）――。

「明日は《光の館》と《鉢＆田島征三 絵本と木の実の美術館》に行こうよ。清《きよ》津峡《つきょう》渓谷トンネルも行けるかも。インスタ映えするからすごい人気だって」

とわたしはパンフレットを見ながら言った。長いこと美術館に行けなかった空白を埋めるがごとく、わたしたちはアグレッシブに作品を見ようとしていた。

そして夕方、いよいよ《夢の家》に向かってクルマを走らせる。陽は落ちかけていたが、まだ昼間と同じくらい暑く、汗でベトベトになったTシャツを早く脱ぎたかった。

まさか、《夢の家》にはクーラーはないだろうなあ。

集落に入る直前、スーパーに駆け込み、ビールやワイン、刺身、焼き鳥などのおつまみを買い込んだ（本来《夢の家》ではアルコールは禁止だが、あとからそれを知った。すみません）。

曲がりくねった山の道をぐんぐん進み、田んぼに囲まれた静かな場所に着いた。奥のほうに、風雪に耐えてきた古民家がぬっと姿を現した。それは初めて見た五年前と変わらない姿だった。

わたしが初めて《夢の家》の存在を知ったのは、二〇一五年のことだ。当時まだ〇歳だった娘を

マリーナ・アブラモヴィッチ《夢の家》(2000年)
「着替えの部屋」

連れ、マイティや友人と大地の芸術祭をめぐっていた。お目当ての作品に向かう道中で、マイティが言った。

「途中に《夢の家》という作品もあるよ。見てみる？」

うん、せっかくだから、と答えた。よくわからないけれど、ロマンチックな名前に惹かれた。

中に入ると農機具や籠《かご》が置かれた土間があり、親戚の家に行ったようだ。靴を脱いでいると、ボランティアらしき年配の女性が笑顔で話しかけてきた。

「こんにちは、初めてですか？　二階にはベッドがあるので横になってみてくださいね」

あ、はい。

廊下の先には畳敷きの大広間があり、旅館にあるような大きな座卓が置いてあった。目を惹いたのは鴨居《かもい》からぶらさがる宇宙服っぽいフォルムのツナギ。青、赤、紫、緑の計四つのツナギは、戦隊モノに出てきそうなカラフルさである。これは、なんだろう？

奥の部屋だけはちょっと異様な空気感で、白い壁に赤い絵の具で意味不明な英単語が殴り書きされていた。和訳するとこんな感じだ。

火山の頂きで口を開けろ
虹の方向に向かって走って叫べ
自分の息でフロアを掃除しろ、ダストを吸え……

「展示のための部屋」

すぐ傍には、おじいさんとおばあさんが写った古いモノクロ写真が貼ってあった。かつてのこの家の住人なのかもしれない。

ええと……これは要するに古民家を利用したインスタレーション作品だね、地域の歴史や住民の記憶をアーカイブする系かしらと思いながら、家の中をうろついた。赤のペンキの殴り書きがホラータッチではあるものの、ま、うん、どうってことないな、という評価を一方的に下しつつ、階段で二階に上がった。

ぎょっとして足がすくんだ。

真っ赤だ……畳も窓も壁も空気も……なにもかもが赤い。

四畳半ほどの狭い和室が、鮮烈な赤い光に包まれていた。

部屋の真ん中には、大きな箱型の物体が鎮座している。どこからどう見ても棺桶《かんおけ》だが、これがその「ベッド」だろうか。中には黒い石でできた枕が置かれていた。

「横になってみて」と言われた通りに、箱の中で横になった。体が三〇センチくらいの壁で囲まれているせいか、視界にはただ燃えるような赤が広がった。すでに自分は死んで棺ごと焼きつくされようとしている気分だ。自分の骨を拾ってくれるのは誰だろう。娘かな。でも、さすがに娘が成人する姿は見たいから、二〇年後にしてほしい。

……という妄想もほどほどに起き上がろうとしたそのとき、枕元に黒くて厚いノートがあることに気がついた。銀色の箔《はく》押しがされた表紙には「DREAM BOOK」とある。

なんのこっちゃ。

ページをめくると「ほかの部屋に泊まっている友人が怖くて眠れないからこっちで一緒に寝てもいいかと聞きにくる……という夢を見た」「とてつもなく恐ろしい夢を見てしまった」などと書いてある。

さらにページを繰ると、次から次へと夢の話が続いた。

どうも夢日記らしいが、すべてバラバラの筆跡で、書き方も内容もやたらリアルだった。もしやこれらは本物の夢なのか？　ということは、ここで眠ったひとたちがいる？

すばやく階段を下り、さきほどのボランティアの女性を捕まえた。

「ここって本当に泊まることもできるんですか」と尋ねると女性はにっこりした。

「ええ、毎日のようにお客さんが来ていますよ。ぜひ泊まりにいらして。ネットで予約できますから」

その口調は、まるでお茶の会に誘うように優雅だった。このとき理解した。あの棺桶の中で見る夢そのものが、アート作品になるのだと。

古民家をあとにするときには決意した。

次はここに泊まろう。そして、夢を見るんだ。

夢を見るための儀式

「ビール、ビールを冷蔵庫に入れないと」

到着して最初にすることがビールを冷蔵庫に入れることだというのは、正しい《夢の家》のゲストの行動なのだろうか、という疑問はさておき、一ダースのビールは小さな冷蔵庫に行儀よく収まった。大きな窓からは夕暮れの光が差し込み、広間をほんのりと照らしていた。どことなく懐かしい夏休みの香りがする。

そんな我々を出迎えてくれたのは、肩まで伸ばした髪にエプロンを身につけた女性。集落の住民であり、二〇年間ここの管理人を務めるタカハシさんは、さながら夢の世界に誘う案内人といったところ。

「みなさん、いらっしゃいませ。現代のひとは都会の生活で疲れています。ここは、そんなみなさんが一晩ゆっくりと過ごす場所です」

方言とも異なる独特の節まわしだった。わたしたち四人はぞろぞろとタカハシさんのあとをついてまわった。

「夢を見るための青の部屋」

この家では、どの部屋でなにをどうすべきかが作者のマリーナ・アブラモヴィッチ（一九四六〜／以下タカハシさんにならってマリーナと呼ぶ）によって明確に決められ「インストラクション」としてまとめられている。ここで行うすべての行為が夢を見るための神聖な儀式なのだ。

家の一階には「説明のための部屋」「着替えの部屋」「清めの部屋」「台所」など、二階に「管理人のための部屋」「夢を見るための赤の部屋」「精神の部屋」などがある。「夢を見るための部屋」は四つあり、棺桶のようなベッドがひとつずつ置かれている。

まず案内されたのは「着替えの部屋」。壁にぶら下がっているのは赤、青、紫、緑の四色のツナギだ。また、ツナギの下に身につける真っ白なつなぎ状の肌着も準備されていた。

タカハシさんの淀《よど》みない説明が続く。

「こちらはつま先から頭まで一体化している全身タイツです、白いモジモジくんです（一同爆笑）。暑い時期は不評です（一同爆笑）。M、Lとサイズがありますので、ちょうどいいのを着てくださいませ。そして、こちらは（直径五センチほどの黒いドーナツ型の物体を指しながら）磁石です。寝袋（とツナギのことをタカハシさんは呼んだ）の一二箇所あるポケットに磁石を入れて寝ていただきます。頭の位置や心臓など、人間のツボにあたるようにできております」

お風呂、台所のあとは、二階の「夢を見るための部屋」を案内してもらう。それぞれの部屋は、ツナギと同様に、赤、青、紫、緑の光に包まれている。窓ガラス自体に着色されていて、窓に光があたると部屋がその色に染まる仕組みだ。赤いツナギを着たひとは、赤の部屋で寝るのがルールである。

「寝袋を着て、直接ここに入って寝ていただきます。枕は雪の結晶模様の黒曜石です。この時期、暑かったり、背中が痛くなったりしますしかし熟睡してしまうと深い夢は見られないので、浅い眠りを作るように、背中や頭が痛くなるようにできております。

そして『夢の本（DREAM BOOK）』はここに入っていますので、朝起きたら、見た夢を書いてくださいませ」

ベッドの中にあるのは黒い石の枕のみで、布団類はなかった。

はい、よくわかりました。

「夢を見るための赤の部屋」

タカハシさんが帰ると、《夢の家》にはわたしたちだけになった。よーし、まずは夕飯を食べよう。

マリーナのインストラクション通りに、台所の戸棚から黒い漆塗りの小さな御膳を四つ取り出し、囲炉裏を囲んで床に座った。食べるのは、夢の家特製の弁当ボックス。冷蔵庫からビールを取り出し、スーパーで買ってきた刺身やコロッケも皿に出した。

話題はやっぱり夢の話である。

有緒　普段から夢を見るほう？
マイティ　見るねえ、二連ちゃん、三連ちゃんで見るよ。
純也　俺もけっこう見ますね。しかも、夢の続きを見ようと思って二度寝すると本当に続きを見れちゃう。
マイティ　そう、隣で寝てて、わああとか叫んで飛び起きて、どうしたのって言うと、これからまた夢の続き見るからじゃあね、とか言ってまた寝ちゃうの。
白鳥　それ、いいなあ！　俺はここ二、三日暑いのもあって、よく悪夢を見るな。
有緒　わたしもよく悪夢を見るよ。本格的な悪夢じゃなくて、プチ悪夢。

わたしはわりと悪夢を見るほうだ。人生で初めて見た悪夢も、はっきりと覚えている。一〇歳のわたしが崖の上に立っている。下を見ると川が流れていて、飼っていた三毛猫のケミが、箱に入ったまま流されている。ケミはにゃあにゃあと泣いて助けを求めているのだが、自分は高いところにいるから助けられない。「ケミ、待って、待って」と叫ぶ間にもどんどん流されていく。起きた瞬間、号泣していた。大好きな猫を失うという恐怖感はトラウマになるほどで、わたしは何年もその夢のイメージに苦しめられた。ケミは毛並みが美しい反面で、容赦なくひとを噛む暴君のような猫だったが、わたしはケミを愛していた。いまとなっては、ひどい悪夢はあまり見なくなり、だいたいが日常の延長の「プチ悪夢」である。

マイティ　あっちゃんの言う「プチ悪夢」ってどんなの？　間に合わない系？　わたしはとにかく間に合わない系。仕事に遅れる。試験に遅れる。準備が間に合わない。打ち合わせに遅れる。白鳥さんは、そういう夢は見る？

白鳥　俺の悪夢のパターンは、広い家みたいなところで、探している場所があるはずなんだけど、なかなかたどり着けない。あれ、ここにあったよねえ、みたいな。

白鳥さんは、お弁当を着実にお箸で平らげ続けた。

当たり前かもしれないが、白鳥さんの悪夢は全盲のひとらしいものだ。目が見えないひとが探し物を見つけるのは、見えるひとの何倍も大変だ。そのため、白鳥さんの周囲はいつもきちんと整理整頓してあって、ウェットティッシュでもカメラでもカバンの所定の場所にしまってある。だから、探している場所やものがわからないというのはまさしく悪夢だろう。

有緒　日常的に見る白鳥さんの夢ってどんなの？　やっぱりビジョンというか視覚情報はないんだよね？

白鳥　うん、説明しにくいんだけど……。あのさあ、見えるひとが普段見ている主なものって、光の情報なんでしょ？　光の情報っていうのは、夢のどこまでを占めてるんだいって考えると、その違いがわかりやすくなるんじゃない？

有緒　うーん、光の情報か。わたしの夢は映画みたいにスクリーンに投影されていることもあって、内容もハルマゲドンみたいに「人類を救います系」もあったりして、視覚情報がメインだよ。白鳥さんの夢には感触とか味とかはあるの？

白鳥　視覚以外の感覚とか、ものの概念はもちろん夢に出てくるよ。たとえば、目の前にあるのはコップだっていうのは、光や視覚情報がなくても体験でわかる。仮にそのコップが（触ったことがない）特殊なコップだとしても、本で読んだりして「概念」としてこういうコップがあるって知ってたりする。

有緒　うん、うん（例えば、クリスタルのシャンパングラスを見たことがなくても、知識として知ってるのと同じだ）。

白鳥　そういう風に知識や情報があるものに関しては夢に出てくる。だからどんな夢を見てるのかって聞かれたら、見えるひとの夢とそんなに変わらないんじゃないのかな。でも夢って時間とか空間とかが色々ごっちゃだから、説明しにくいよね。細かく覚えてないし、しゃべっているうちにわからなくなるし。だから、どこが（見えるひとと）共通していて、どこが共通してないかを伝えるのかは難しいなあ。

マイティ　でも、飛ぶ夢は時々見るって言ってたよね？

白鳥　ああ、前は時々見たよね。

マイティ　そういうとき、いま自分が飛んでるっていうのは、感覚でわかるの？　飛んだことがなくても？

白鳥　うん、遊園地のフリーフォールとかで、落ちたり飛んだりするときの感覚は体が覚えてる。だから、そういうのは夢でもわかるんだよ。
純也　有緒さんの夢は外国語になったりするの？
有緒　うん、英語にはなるよ。アメリカ映画とか見たあとは夢も英語になるし。でも、フランス語には絶対ならないの。フランス語はずっと下手だったから。ごくたまにフランス語になっても、へったくそなフランス語で頑張ってる夢が多いよ。

どうやら白鳥さんの場合、夢の中だからといって急に誰かの顔が認識できたり、映像が見えたりする、ということはないらしい。ただし、これが中途失明者となるとまったく話は変わり、夢の中でも物体や映像、知人の顔を見ることも多いと聞く。ということは、夢がいくら支離滅裂な代物に見えても、そのひとの人生経験の延長線上にあるのだ。

夢に関する興味深い現象のひとつは、古い記憶と前日のフレッシュな記憶がシャッフルされ、渾《こん》然《ぜん》一体のミックスジュースのように出現することだ。何十年も会ってない友人やら、死んだひと、芸能人もどんどん夢に出てくるし、なんの興味もないひとが突然恋人になっててドキドキしたり。あれは、どうしてなのだろうか。

有緒　夢には意味があるのかな？　願望が表れる？
マイティ　うん、たまに（星野）源くんも夢に出てくるよね。そういうときは、優しくて、面白

有緒　くって、普段と違ってわたしのためだけの顔を見せてくれるの。優しくて面白いってテレビで見る（星野源の）まんまじゃん。それ、〝わたしだけの顔〟じゃないよ。

マイティ　あ、そうだった？（一同笑）白鳥さん、焼き鳥とかコロッケとかあるけど食べない？

白鳥　じゃあ、いただこうかな。焼き鳥にしよう。

マイティ　はい、どうぞ。ビールもまだあるよ。クラフト系か一番搾りか。

白鳥　一番搾り。

夢が願望を表すからこそ、夜に見る「夢」と将来の「夢」は同じ言葉なのだろう。不思議なことに英語でもフランス語でもそうだから、人間にとって夜の夢と将来の夢はどこか共通した存在のようだ。白鳥さんは、夜の夢はもちろん見る。ただ、将来の夢を見たことはないと前に話していた。わたしはどうだろう。そういえば、高校生くらいのときは映画を作る人になりたいと思って、日大芸術学部を選んだんだった。

ごく稀《まれ》に夢の中で途方もなくすばらしい体験をすることがある。例えば、初めて行った美術館で光輝くような絵画を見るとか、そういうものだ。目が覚めた瞬間は多幸感と興奮に包まれていて、夢とはいえ、こんな作品を生み出せる自分って実は天才かも、とか思うわけだけど、そういうものに限って朝食のパンを食べるころにはふわーっと消え失せてしまう。マイティも「夢の中で作曲したり文章を書いたりするけど、全部忘れちゃうんだよね」と相槌を打ち、コロッケにかぶりついた。

もし夢を忘れないでいたら、傑出したアーティストや科学者になれるのだろうか？

シュルレアリズムの旗手、サルバドール・ダリ（一九〇四〜一九八九）は夢をインスピレーションに絵画を描いたことで知られる。有名なのは《目覚めの一瞬前に柘榴《ざくろ》の周りを蜜蜂が飛びまわったことによって引き起こされた夢》（一九四四年）で、岩の上で眠る女性の上に虎や銃、ザクロの実が浮いているファンタジックな油絵だ。

そのほか、夢からインスピレーションを得た作品としては、『ジキル博士とハイド氏』（ロバート・ルイス・スティーヴンソン）、『フランケンシュタイン』（メアリー・シェリー）、『ねじ式』（つげ義春）、『夢』（黒澤明）など数えきれない。また、相対性理論や元素周期表、電球なんかの科学的発見もすべて夢の中の閃きから生まれたというのだから、メメント・ユメ、夢を侮るなかれ。

今日までに脳科学の研究者たちが明らかにしたところによると、夢の中でランダム再生される記憶の断片にはやはり意味があるらしい。脳は、過去の雑多な記憶を自由に結びつけることで既存の発想の殻をぶち破り、常識を超えたアイディアを生み出し、可能性の地平線を開こうとしているというのだ。だったら、それを覚えていられたらいいのに！

有緒　なんで忘れちゃうんだろ。寝ている間に昼間の情報を整理してるとかいうよね。
マイティ　そういえば、夢日記をコツコツつけるのもよくないっていうひともいるよね。
純也　忘れる作用があるのに、ずっと記憶しちゃうのもよくないってことだよね。

有緒　整理されるべきものを、日記に残すことで、逆に覚えていてしまうってことか。なるほど、深いなあ！

夢の役割やメカニズムはまだ解明されていないことが多いわけだが、それでもひとつわかっているのは、ひとが夢を見ている間、記憶を司る「海馬」が休みの状態にあることだ。だから、そもそも夢は忘れられるべき運命にあるのだ。

古民家に住む妖精

しゃべっているともう夜一〇時だった。じゃんけんでお風呂の順番を決めると、白鳥さんがチョキを出して勝ち、一番風呂になった。

「お風呂に入ったら、例のモジモジくんを着るんだよ」

「え、そうなの？　うん、わかった」

白鳥さんは素直に白い全身タイツを抱えてお風呂場に向かった。お風呂はバカでかい銅製の浴槽で、しかもふたつの浴槽がでーんと並んでいる。もちろん、お風呂の入り方に関しても、マリーナからの仔細なインストラクションがあった。

インストラクション・清めの部屋。
清めの部屋では、まずシャワーをあびます。（中略）次に、青い石の枕のあるお風呂に入ります。お風呂に、ハーブの入った体温よりぬるめのお湯がためてあります。頭を枕の上に置き、お風呂の中で横になってください。（所要時間：15分）

純也さんが風呂場で白鳥さんにコックや蛇口がどこにあるのかを説明する。ちなみに左側のお風呂は薬草風呂で、籠いっぱいに入ったよもぎ、はっか、しょうぶ、ミントを入れるという指示があった。いい夢に向けてリラックスするためだろう。

お風呂からあがった白鳥さんは、ピタッとした白いモジモジくん姿のまま、台所の隅に座りビールを飲み始めた。痩せているので、全身タイツがよく似合う。

「なんか古民家に住む妖精みたいだよ」と純也さんが声をかけた。妖精といえばかわいらしいけど、芋虫役で学芸会に出演するひとみたいにも見えた。だいたいなぜ台所の隅なんかに座っているのか。

「ここ、風が通って気持ちがいいんだよ」

そういう白鳥さんは、いつもの白鳥さんとは別人のように見えた。

普段の白鳥さんは、とても姿勢がいい。いつも背もたれには寄りかからず、背筋が伸びている。

服装も清潔感に溢れ、襟がヨレッとしたTシャツを着ていたりすることはない。しかし、今日に限っては、妙な全身タイツを身につけ、背中を丸めた姿勢を取っていた。それが珍しかった。

アメリカ人で全盲の作家、ジョージナ・クリーグは、著書の中で、盲目の子どもにとって「外見のイメージが重要なのだという考えが、どれほど繰り返し教え込まれるか知っている」と書いている。

盲目の子をもつすべての母親的な存在にとって、子どもが背筋を真っ直ぐに起こし、身なりを清潔に保つよう注意することは特別な意味をもっています。（『目の見えない私がヘレン・ケラーにつづる怒りと愛をこめた一方的な手紙』）

白鳥さんも、そういう風に叩き込まれたのかなあと思ったけど、聞かなかった。

お風呂を終え、全員が仲良くモジモジくんスタイルになると、今日のハイライト、部屋を選ぶ時間になった。四つの部屋は似た造りだが、唯一違うのは窓の色だ。繰り返しになるが、赤、青、紫、緑の部屋がある。

マイティはすかさず「わたし、赤以外がいい！」と声をあげた。

赤を避けたい理由はなんとなくわかる。赤はとにかく「血の色」という印象で、棺桶のイメージと相まって、おどろおどろしい。そのとき純也さんが「俺は赤がいい」と手をあげた。おお、さすがここに来るのを楽しみにしていただけある。

有緒　わたしは青にしようかな。さっきちらっと見たとき、不穏な感じがしたんだよね。

マイティ　え、わたしも青にしようかと思ったけど、不穏な感じって言われるとやだ、じゃあ緑にする。

有緒　遠慮しなくていいったら。譲るよ。

マイティ　いいって、緑にする！　ということは、白鳥さんは残る紫でいい？

白鳥　うん、俺はどこでもいいよ。

あとは寝るだけだが、修学旅行のような興奮状態にあるのかあまり眠くない。畳敷きの広間の片隅には、古いテレビとDVDプレイヤーがあった。そこではマリーナの過去のパフォーマンス作品を見ることもできる。なかなか見るチャンスがない作品なので、純也さんは「見ようかな」と言うが、わたしはそれを見ちゃうと悪夢への道にまっすぐ突き進む気がした。

旧ユーゴスラビア出身のマリーナ・アブラモヴィッチは、自身の身体を使ったパフォーマンス作品で名を世界に轟《とどろ》かせる。多くはその場限りの即興で行われ、作品には筋書きも物語もな

「夢を見るための赤の部屋」の純也さん

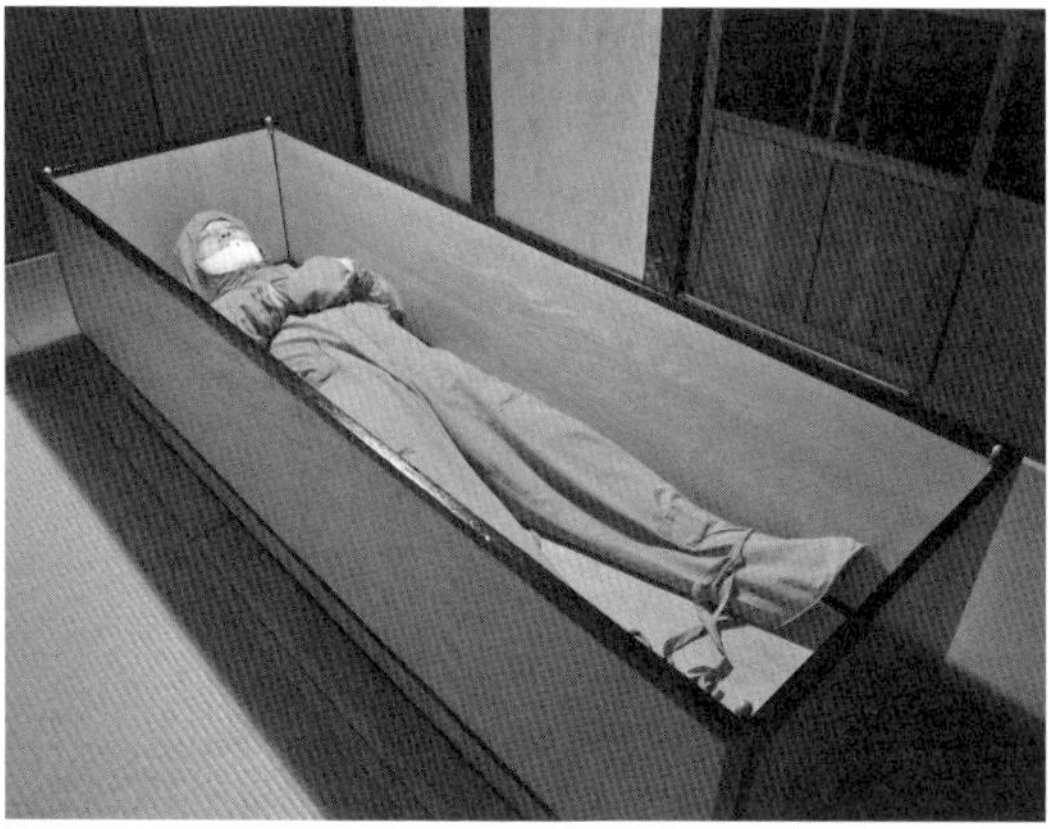

い。中には暴力的な表現や身体的な痛みや傷、極度な緊張を伴う作品も少なくない。
その究極ともいえるのが《Rhythm 0》（一九七四年）だ。作品制作に伴い、マリーナは、テーブルの上に七六のアイテムを準備した。水の入ったコップ、靴、コート、薔薇《ばら》の花や羽もあれば、ハサミやハンマー、かみそり、ナイフそして銃と銃弾という凶器になりうるものもあった。パフォーマンスの開始時、彼女は横たわり、観客には「この道具を使ってなにをしてもよい」と伝えた。
最初は遠慮がちにマリーナに水を飲ませたりしていた観客たちだったが、ほどなくしてその接し方はグロテスクに変化した。体を触るひと、服を切り裂くひと、ナイフで傷つけ血を飲むひともいた。最後は銃に弾を装塡《そうてん》し、マリーナのこめかみに当てるひとまで出てきた。その間、マリーナはひとことも発さず、じっと耐え続けた。六時間のパフォーマンスが終わったときには、彼女は半分裸にされ、血まみれで、涙を流していた。彼女が立ち上がって観客に向かって歩いていくと、人々はあとずさって逃げていった。マリーナが生身の人間であることを思い出し、恐怖を覚えたのだろう。一皮剝《む》いてみれば、人間とは驚くほど残虐になれる。それを見せるために、彼女は真の恐怖を味わっていた。
「その夜、午前二時に起きて驚きました。頭髪の一部が白髪になっていたのです」（マリーナ・アブラモヴィッチ TED Talks『信頼、弱さ、絆から生まれるアート』二〇一五年三月）
いつもほんわかモードの純也さんが、マリーナの作品が好きなことが意外だった。
「初期のころのウライと一緒に作ってる作品とか好きだな」（純也）
ウライはかつてのマリーナの恋人で、旧西ドイツ出身のパフォーマンス・アーティストだ。ふたりは自分たちを「ふたつの頭を持ったひとつの体」と言い表し、一緒にパフォーマンスを行った。お互いの口から排出した息だけで呼吸をし合うなど身体を極限まで酷使する作品が多く、どちらかが失敗したり緊張を緩めたりすると、他方が大怪我する作品もあった。そんな一心同体のようなふたりだったが、結局ふたつの頭はやはりふたつのままだった。

「別れちゃいましたね。ウライとマリーナは万里の長城のあっちとこっちから出発して中間地点で会うというパフォーマンス作品を作っているんだけど、それが最後の作品になって」と純也さん。

《恋人たち　万里の長城を歩く》（一九八八年）という作品である。これがまた凡人にはアンビリーバブルなスケールで、マリーナは黄海《こうかい》から、そしてウライはゴビ砂漠から、それぞれ九〇日間で二五〇〇キロの道のりを歩き続けるというもの（一日あたり二七キロ以上！）。

ふたりは着実に二五〇〇キロを歩き通し、中国の内陸部の中間地点で再会した。そして爽やかに握手をし、濃密な関係にピリオドを打った。史上最大級にダイナミックな別れ方である。

そんなことをしゃべっている間に時計は一二時をまわり、少し気温も下がり、気持ちよく眠りにつけそうな予感があった。わたしはダブダブのツナギを身につけ、ドーナツ型の磁石をポケットに入れた。ずっしりと重くなったツナギをひきずるように階段を上り、青の部屋に入った。

ベッドの中に横になると静かな興奮に包まれた。

ようやく、この時が来た。

それにしても、蒸し暑いなあ。ツナギにくるまれた全身から汗が噴き出す。網戸がないので窓も開けられない。
すぐに暑さは拷問的なエグさに達した。
ええい、とツナギを脱ぎ捨てた。できる限り正しいドリーマーになりたかったが、いまは眠りにつくことを優先するしかない。しかし、これでもまだ暑い。さらにモジモジくんも脱ぎ捨て、Tシャツと短パン姿になった。ようやくすっきりして一瞬で眠りに落ちた。

マリーナの不思議なパーティー

マリーナは、なぜこんな大掛かりな作品を作ったのだろうか。その理由は、《夢の家》の入り口に掲げられたパネルに書かれている。長くなるが興味深いので引用したい。

私が子どもだった頃、夢はとても大切なものだった。ときどき夢は、本当の現実よりもずっと鮮かでリアルだった。総天然色の夢を見るのだ。夢を見ている夢、別の夢で目覚める夢も見た。飛ぶ夢も見た。行ったことのない場所を訪ねる夢も見た。目が覚めてから、あらゆるディテールを書きとめることができた。

後に現実に起こる出来事を夢に見たこともある。ある夢は何年間も繰り返し見た。それは、とても古くとても美しい家の夢で、その家ではあらゆる明りがいつも灯され、満員の人々がパーティーを催していた。この夢の中で、私はいつもどこか他所からその家にやって来るのだっ

た。そこにいる客全員を私は知っていた。彼らの生活も、名前も、何をしているかも知ってい
た。でも現実には彼らは全く知らない人たちだった。何年か前に、その夢を見ることはなくな
った。そして最近、再びその夢を見たのだ。それは同じ家で、明りが煌々と灯り、同じ人たち
がパーティーをしていた。唯一の違いは、彼ら全員の髪が灰色になっていたことだ。彼らは年
をとっていた。私は愕然とした。夢の中で年をとることができるとは知らなかった。
母が死ぬ間際、私はそれも夢で知った。
祖母の台所は、いつも夢が語られる場所だった。そこで祖母は私に夢について説明してくれ
たものだ。
血の夢を見たら、すぐに良い報せが届くだろう。
汚い水を泳いでいたら、病気になる。
歯が抜ける夢を見たら、家族の誰かが死ぬだろう、などなど。
私たちの西洋社会では、人は夢に注意を向けることをやめてしまった。私たちは安眠できな
い。眠りを助けるために、薬を飲む。そして夢をもう思い出すことができなくなった。
だから私にとって、「夢の家」をつくることはとても重要なことだった。人々が夢を見るた
めに訪れる場所。（マリーナ・アブラモヴィッチ『夢の本』現代企画室）

目を覚ました。
顔の前にはむっと湿気っぽい闇があった。浅い眠りだったようで、すぐに自分が《夢の家》にい

ることがわかった。二秒前まで夢を見ていたような気がしたが、細かなイメージの破片はさらさらと眉間の隙間からこぼれていった。

時間を確認すると深夜二時半で、眠りに落ちてから、きっかり九〇分。研究によれば、眠りの最初の九〇分は脳の活動が最小限になり、あまり夢を見ない。どうもこれからというところで目覚めてしまった。トイレに行き、再びベッドの中に収まる。いい感じの眠気を感じる。よし、いいぞ、と目を閉じた。そのときである。

ジジジジジジ。

扇風機の音のように大きく、耳障りな羽音が聞こえてきた。部屋のどこかに虫がいるらしい。やだなあ、まあ、いいか、とまた目を閉じる。すると三〇秒ほどでまたジジジジ……という不愉快な羽音が聞こえ、二秒後に、小さな物体が勢いよく窓ガラスにぶつかる音がした。

バシッ！

どうもデカい虫が外に出たがっているようだ。

それから、ジジジジ……バシッ！　が何度も繰り返された。

ええい、虫ごときに神聖な眠りを邪魔されてなるものか。

やつは部屋の中を移動しているようで、ガサゴソ、ザザ……というおぞましい音まで聞こえてきた。もしかしたら複数の虫たちが同時多発的に活動しているのかもしれない。そうだ、さっき信じられないくらい巨大なカマドウマを見たばかりだ。もしや、あいつか。そう考えている間にも、ジジジジ……バシ！　は執拗《しつよう》に繰り返された。

おいおい、だから、いまは無理なんだってば。ちょっとは学べ、アホか、罵倒しかけたが、あまり刺激したくないので、あなた、ずいぶんとチャレンジ精神に溢れてるんですね、と丁寧に心の声で話しかけた。申し訳ないのですが、そのチャレンジは朝まで待ってくださいませんか？　わたしは東京から夢を見るためにここに来たんですよ。

ジジジジ……バシ！

ジジジジ……バシ！

残念ながら、チャンネルが違うのか、テレパシーはまるで通じない。

ジジジジ……バシ！

なんだよ、やる気が溢れすぎたヤツだなあ。せめて顔の上に落ちてきたり、直撃したりしないでよね。わたしはタオルを顔の上に乗っけたが、今度は逆にむき出しになっている脚や腕が心もとない。いっそのことモジモジ・ルックに戻ったほうが安眠できるかしら？

もはやこれが悪夢そのものだった。いっそのことこれが夢でありますようにと願ったが、疑いようがないほど現実だった。

暗闇で箱に入りながらマリーナを思った。

ナイフで服を切り裂かれ、銃をこめかみに突きつけられながら、六時間もの肉体的、精神的蹂《じゅう》躙《りん》を耐え抜いた女性。それに比べて虫一匹に翻弄されている自分はなんて小さい人間なんだ。なんだか焦りを通り越して、落ち込んできた。

いったんリセットして出直そうと決意し、下の広間へ避難した。夜の涼しい風が吹き抜け、風鈴がチリーン、チリーンと鳴っていた。畳の上にゴロンと横になった。ああ、なんて長い一日なんだろう。畳って最高だなあ。五分したら、部屋に戻ろう、うん、そうしよう。

はっ！

気がつくと大の字になって寝ていた。

時計を見ると、もう五時である。なんと呆れたことに二時間近くも寝ていたようだ。しかも、完全に熟睡していたようで、なんの夢も見ていなかった。

まずいまずいまずいまずいまずいまずいまずいまずいまずいまずいまずいまずい。

階段を駆け上がり、箱の中に飛び込んだ。

時よ、戻れ！　ちちんぷいぷい！　開け、ゴマ！

思いつく限りすべての呪文を唱えたが、ボルタンスキーが言った通りに、人間は時の流れには絶対に抗えない。いまや山の向こうからは太陽が顔を出し、部屋全体が仄かなブルーに染まり始めた。

もう一度、眠るんだ。

断固たる決意のもとに目を固く閉じた。しかし、睡眠というのは、眠ろう、眠ろうと努力すればするほど覚醒していくという矛盾に満ちた活動だ。いま必要なのは……そうだ、リラックスだ。体の力を抜き、呼吸を一定にして、どうでもいいことを考えるんだ。そうだ、小学校のときの通学路を思い出そう。ラジオかなにかで「小学校のときの通学路を思い出すと眠れる」という話を聞いてから実践しているんだけど、これがほんとに効果があるんだ。お母さん、行ってきます。靴を履き玄関を開け、エレベーターに乗って一階のボタンを押し、マンションロビーのガラスドアを開けて、本屋さんのシャッターを見ながら通りを左に進んで……そう、消防署が見えてきた……。

そのときである。

ジジジジ……バシ！

うそでしょう。アゲイン？

やめて、やめて。お願い、もうわたしには時間がないの。

今度こそ窓から追い出そうと、起き上がってヤツの姿を探した。しかし、どこにも姿が見えない。

なんなんだ。猛烈に腹がたってきた。燦々《さんさん》とした朝日を浴び始めた部屋は、着実にブルーに変わりつつあった。憤怒に打ち震えながら、わたしはやつを探し続けた……。

兵《つわもの》どもが夢のあと

五時半。もう眠気のかけらもなかった。

終わった……。《夢の家》で夢を見るという夢は潰《つい》え、現実と夢幻の世界を行き来するはずだったわたしは、どこまでも現実の中にいた。

農村の朝は爽やかだねえ、と庭に出て朝日を眺め、みんなが起きてくるのを待った。

ギシギシ、ミシミシ。

階段を下りてきたのは白鳥さんだった。足元を確かめながらトイレに向かう。わたしが起きていることには気がついていないので、声をかけようとしたところ、トイレから出るなり、すすすっと吸い込まれるように二階に戻っていった。二度寝するのかしら。いいなあ。

暇すぎるので、《夢の家》制作の記録映像をＤＶＤで見たりしていると、七時過ぎ、再びポロシャツに着替えた白鳥さんが起きてきた。すすすと静かな足取りで移動し、昨夜と同じ台所の一隅に腰を落ち着けた。よっぽどあそこが気に入ったんだな。

「おはよう」と声をかけると、顔をこちらに向け「あ、有緒さん、おはよう」と答えた。

「暑くなかった？」

「うん、ぜんぜん。よく寝られたよ」

「なんかお茶飲む？」

「飲みたい」

「いま、淹れるね。ハーブティーがあるよ」

ティーバッグを急須に入れお湯を注ぐと、見事なブルーになった。白鳥さんは指でトントンとテーブルを叩いている。お茶を飲んでいると、急に思い出した。

「そうだ、白鳥さん、『夢の本』に夢を書かなきゃ」

「そうだったね」

「言ってくれたら、書くよ」

わたしはペンを手に取り、紫の部屋にあった「夢の本」をひろげた。

「じゃあ、いきます」

「はい」


5時に目が覚める。どうやら夢は見なかったようだ。磁石の丸い映像が残っているんだけど、きっとそれは磁石が割れているからだろう。

おしまい。


「え、おしまい??」

「うん、おしまい」

「じゃあ、白鳥建二って書いとくね」

「あ、うん」


次に起きてきたのは純也さん。すっきりとした顔をしている。

「よく眠れた?」

「うん、よく眠れました」

「夢は見た?」

「うん、見ましたね。若いお母さんと小学生くらいの少年、そして固く絞られた白菜のおしんこ。その三つのイメージが物語もなく、自分がどこにいるのかもわからないまま見えている」

固く絞られたおしんこという謎のアイテムが出てくるあたりはいかにも夢っぽい。ただストーリーがないので、それ以上の奥行きがなかった。

最後は、マイティだ。マイティはふらふらとした足取りで階段を下りてくると、ペタリと座卓の前に腰をおろした。よし、君が最後の打席に立つバッターだ。ぜひホームラン級に奇想天外な夢を見ていたと言っておくれ。

「夢は見た?」

「うん、なんか見たな。えーと、今日一緒に旅した四人で、レクチャーを企画する夢」

レクチャー。なんという現実感のある言葉だろう。

マイティは「夢の本」に一行だけ文章を書き付けると、朝食の準備のために台所に向かった。わたしもあとを追い、パンをトースターに入れながら「確か昨日の残りのかき揚げと卵焼きがあるはずだよ」と声をかけると、純也さんが「かき揚げは……ちょっと違うんじゃないかな。胃が受けつけなそうな気配が漂ってる……」と答えるので、わたしはそうだよね、と笑った。

はるばる旅をし、手間暇かけて儀式をこなしたのに、誰ひとりとして特筆すべき夢は見なかった。

空も飛ばず、歯も抜けず、ゾンビも絶世の美女も世紀の発明もない。

それでもわたしは、この間抜けな現実を愛する。こよなく、愛する。

「朝ごはん、できたよー」と白鳥さんに声をかけた。

耳の中に残る不愉快な虫の羽音。手にするのはいい香りのパン。ハーブティーの湯気がほんのり熱い。トントンとテーブルを鳴らす音。吹き抜ける朝の風が、風鈴をチリンと揺らす。友人たちの声はどことなく眠そうだ。

その確かな世界の手触りが、わたしをこの瞬間に繋ぎ留め、わたしをわたしでいさせてくれる。

それだけで、十分だった。

時計が八時をまわると《夢の家》をあとにした。最後に家の前で記念写真を撮った。

一〇〇年待っていてください。きっと逢いにきますから。

『夢十夜』の男は一〇〇年間ずっと墓の傍で待ち続け、ふたりは再会を遂げる。一方、万里の長城で別れたマリーナとウライは、再会の約束はしなかった。しかし、その二二年後のことだ。

二〇一〇年、ニューヨーク近代美術館（ＭｏＭＡ）では、マリーナの大回顧展が開かれていた。展覧会の間、マリーナは毎日八時間じっと言葉を発さず、一脚の椅子に座り続けた。そして向かい側の椅子に来場者が座ると、そのひととただ見つめ合うというパフォーマンスを行った。

マリーナは毎日、毎時間、誰かと見つめ合った。来る日も来る日も。

そんなある日、マリーナの前にひとりの男性が座った。マリーナは閉じていたまぶたをゆっくりと開ける。目の前にいるのは白髪交じりの痩せた男性。当時の記録映像を見ると、彼女の瞳にわずかな動揺が走ったようにも見える。

男性は、なにか言いたそうに口を少し歪《ゆが》め、首を傾げる仕草を繰り返している。多くの意味が込められたような、なんとも言えない表情だ。対するマリーナはじっと動かず、なにも言葉を発さない。ただ目には涙が溢れた。そして、今回のパフォーマンスの禁を破るとマリーナは彼の手をとり、ふたりは見つめ合った。

二二年もの間、ふたりはこの日を夢見ていただろうか？

それは、わからない。

参考文献

夏目漱石『夢十夜 他二篇』岩波文庫
ペネロペ・ルイス『眠っているとき、脳では凄いことが起きている　眠りと夢と記憶の秘密』西田美緒子訳、インターシフト
マリーナ・アブラモヴィッチ『夢の本』現代企画室
「マリーナ・アブラモヴィッチ TED Talks 『信頼、弱さ、絆から生まれるアート』」二〇一五年三月
ジョージナ・クリーグ『目の見えない私がヘレンケラーにつづる怒りと愛をこめた一方的な手紙』中山ゆかり訳、フィルムアート社

第12章

白い鳥がいる湖

塩谷良太《物腰（2015）》

二〇二〇年一二月某日。晴れ。茨城県近代美術館。

マイティ　これ、アサリに見えない？

有緒　へ？

マイティ　アサリ、アサリ。塩抜きしているとビヨーンって出てくるとこ。

有緒　アサリっていうと小さく感じると思うんだけどすごく大きいんですよ。ええと、セイウチ？　泳いできたセイウチがちょっと疲れたぞ、みたいな。

マイティ　んー、……ネコ？

白鳥　ネコ？

巨大な立体作品を前にしゃべる三人に向かって、ふたりの男性がカメラをかまえていた。ひとりは前に白鳥さんのポートレイトを撮ってくれたカメラマンの市川勝弘さんで、もうひとりはわたしの大学時代の友人、三好大輔。大輔が撮っているのは動画だった。わたしと大輔は一緒に映画を作っていた。

なにゆえに映画なのか。お前は物書きじゃなかったのか。そう聞かれると、すみません、そういう風になっていたようです、としか言いようがない。

始まりは《夢の家》である。新潟に出発する直前に、大輔に声をかけた。

ねえ、全盲で美術好きの白鳥さんという面白いひとがいて、今度一緒に《夢の家》という作品を見にいくから、ちょっと映像を撮りにこない？

まあ、いつか白鳥さんとの鑑賞体験をまとめて本にするときに、五分くらいのムービーでも作れたらいいなという軽い気持ちだった。

芸術は人生を変えるか？

大輔とは日本大学芸術学部のキャンパスで出会った。必修の英語のクラスが一緒で、わりとすぐに友だちになった。わたしは、小学生のころから自主映画をチマチマと作っていて、将来は本物の映画を作るんだという希望に燃えて大学を選んだわりに、ろくに映像制作のスキルも学ばないままに卒業してしまった。その後は渡米して国際協力の世界に進み、もはや映像と関わることはなかった。そんなわたしとは正反対で、大輔は大学でしっかり撮影・編集技術を習得し、卒業後もミュージックビデオやドキュメンタリー、ＰＲムービーの制作など一貫して映像の仕事を続けた。特にこの一〇年くらいは、全国各地の家庭に眠っている8ミリフィルムに夢中で、それを掘り起こしては一本の「地域映画」にまとめるという地道な活動を続けていた。ひょんなことから、わたしもその地域映画プロジェクトを手伝うことになり、以来、ときどき会っている。

ねえ、新潟に来ない？　と声をかけたのは、彼だったらこのユニークな美術鑑賞の旅を楽しんでくれるだろうという予感がしたからだ。

とはいえ、全国で多くの映像制作プロジェクトを抱える彼はとても忙しい。《夢の家》に行く日はもう決まっていたので、ダメもとでスケジュールを伝えた。するとどういうミラクルか、「その二日間だけは空いているから、いいよ、撮るよ」と言う。

ありがと、今度なんかご馳走するよ。と、まあ、そんな感じで始まった。

大輔は撮影機材一式をクルマに積んで新潟に現れ、わたしたちが十日町の駅に降り立った瞬間から無言でカメラをまわし始めた。ランチから始まり、クルマの中、《夢の家》の一夜、翌日の《光の館》、途中で入った蕎麦屋、そして最後に清津峡渓谷で記念撮影し、またねーと手を振って解散するまでのすべてが映像に収められた。

あれ、五分のムービーのためにこんなに撮るの？　大変だなあ！　とわたしは他人ごとのように思った。あとで聞いたところによると、「なにを撮ったらいいかわからなかったから、とりあえず全部撮ったよ」とのこと。

白鳥さんはカメラを意識している様子もなくいつも通りだが、マイティはさすがに「ねえ、三好さんはこんなに撮ってどうするのかな？」と聞いてきた。わたしは「うーん、そうだね、そのうち大輔が白鳥さんを追ったドキュメンタリーでも作ってくれたらいいね」とさらに無責任に答えた。

そのときは、本当にそう思っていた。誓ってそうなのだ。

——芸術って人の人生を変えられるものですか？——　（『マジシャンの散歩』より）

飛び立たない白鳥たち

秋になると、わたしは途方に暮れていた。

そろそろ白鳥さんとの鑑賞体験を一冊の本にまとめたい。伝えたいことはすでにたくさんあり、かなりの分量の文章を書き終えていた。それでも、なにかが決定的に足りないという感覚に苛《さいな》まれ、行き詰まっていた。不足しているのは鑑賞体験の量や質なのか、会話の深みなのか、白鳥さんの言葉なのか、リサーチや思索なのか、本を書ききるための集中力なのか、それすらもわからない。わからないことがわからない、というメビウスの輪的な状況のなか、なにかがぽっかりと抜けていることだけが妙にくっきりしていた。

考えてみると、前作を出版してからもう二年も経っていた。文章を書くことを生業《なりわい》とする人間としてこんなんでいいのか、いや、全然よくないだろ、と自分で突っ込む。じゃあ焦っているのかといえば、焦っていないのだからさらに救いようがなかった。なんというか、コロナ禍が始まって以来、書く気力の目盛りがずっと最低レベルのままだった。

ちょうどそんなおりに、わたしの妹のサチコから連絡があった。新しい動画配信サイトが立ち上がり、制作・配信する新規映像の企画を募集しているとのこと。既存の「劇場」のバリアフリー化を目指すオンライン上の劇場らしい。

「おねえちゃんたちが新潟で撮った映像を、ここで発表すればいいんじゃない」

なにそれ。いいかも。その言葉は、本の執筆に行き詰まっているわたしには、天からの福音のごとく響いた。

一一月の半ば、大輔と駅前のファミレスで落ち合った。仮に短編作品を作るとしても、関係者のインタビューなど、かなりの追加撮影が必要になる。配信スケジュールによれば、一月末までに編集を終えないといけない。とりあえず大輔の今後のスケジュールを聞くとその日から三月までまったく余裕がなかった。わたしのほうも、本の執筆を本当にストップしてしまっていいのかな、とチラリと思った。しかし、だいたい一五分ほど話をしていると「やろう」ということに決まった。えーい、どちらにせよわたしは行き詰まっているのだ。とりあえずこの道を進んでみよう、迷わずに行けよ、行けばわかるさ、と引退したときのアントニオ猪木の言葉を思い出しながら、白鳥さんに電話をかけた。あの、映画を作ってもいいかな、と聞くと、俺は別にいいけど、と答えた。

白鳥さんの友人や知人、美術館の関係者に改めて連絡をとり、インタビューをお願いした。せっかくなのでまたどこかで作品鑑賞をしようという話になり、水戸の茨城県近代美術館に行くことにした。千波湖《せんばこ》のほとりに立ち、緑青色の銅板葺きの屋根を持つ風格ある美術館である。

千波湖には白鳥が棲《す》んでいる。白鳥は渡り鳥なので、通常はシベリアのほうから飛来して冬の間だけ日本で過ごすのだが、この千波湖ではほぼ一年にわたり白鳥の群れがいる。ただ撮影の日の朝は、残念ながら一羽も見当たらない。おかしいなあ、どっかにいるはずなんだけど、とわたしはカメラを持つ大輔に言った。

そうこうしている間にマイティが「来たよー」と白鳥さんをクルマに乗せて現れた。

「白鳥さん、おはよう。お、今日の服は珍しくチェック柄だねー。しかもわたしと同じ黄色だー」

クルマから降りてきた白鳥さんに声をかけると、「あ、そう？　俺は別に選んだわけじゃないけど、偶然だねー」といつもの口調で答えた。マイティは、黒の柔らかそうな素材のワンピースを着ていた。それもいつもと同じだった。一緒に美術館に行くのは四カ月ぶりだった。

「6つの個展　2020」という六人の作家による展覧会の始まりは油彩画で、その後は彫刻やテキスタイルなど異なる素材の作品が次々と現れた。

言葉で説明しやすい作品もあれば、そうじゃないものもあった。この日もマイティは、作品に正面から向き合い、見えたもの、頭に浮かんだ印象を「これ、サンマに見える」などとノーフィルターで口に出していく。美術館スタッフとして働きながら、直感だけを頼りに発言することは、まあまあ勇気ある行為だろう。実際マイティやわたしが語っている内容は、のちに映像を見たひとに、おいおい、そんな適当なこと言っていいのか、見方が浅すぎるぞ、けしからん、などと思われる可能性も十分にあった。しかし、正しい知識がなくとも作品について自由に語る資格はあるのです、というのがマイティの「鑑賞道」である。それが一七歳から美術鑑賞を続けてきた彼女の信念で、この映画で伝えたいことのひとつだった。

多くの作品の中で、ん、あれ、なんだろ？　とわたしたちの目をひきつけたのは、《物腰（2015）》（塩谷良太）だった。

それは、「でん！」というオノマトペが似合いそうな存在感で、展示室の真ん中に鎮座していた。いくつもの焼き物のブロックを接《は》ぎ合わせた立体作品で、滑らかで温かみのあるフォルムと質感をしている。触りたくなったけれど、もちろんガマン。高さは一・六メートルほどで、表面には多彩な色で有機的な模様が描かれていた。

さっそくマイティが「ねえ、これ、アサリに見えない？」と言うので、わたしは「へ？」という間抜けな声を出した。

マイティ　アサリ、アサリ。塩抜きしているとビヨーンって出てくるとこ。

白鳥　ふふふ、砂抜き？

有緒　アサリっていうと小さく感じると思うんだけどすごく大きいんですよ。わたしには全然アサリって感じしない。ええと、セイウチ？　泳いできたセイウチがちょっと疲れたぞ、みたいな。いや、アザラシか。でもアザラシよりも大きいんだよな。シャチかセイウチか。なんかわかりにくい例えだよね。シャチなんか見る機会ないし。

塩谷良太《物腰（2015）》163 × 167 × 211cm

白鳥　ふふふふ。
マイティ　でも色は緑とか茶色とか色々。
有緒　これ、陶器の継ぎ目がすごいね。曲線だから有機的な形なの。瓦みたいに同じ形じゃなくて一個一個がこの作品のために作られてる。気持ちよさそうな触り心地だろうな。子どもがいたら一瞬で登って遊ぶと思う。
白鳥　それ、やばいね！
マイティ　んー、……ネコ？
白鳥　ネコ？　どんなネコ？
有緒　確かにね、ネコ……？　詰まってる感じがするよね。なにか生き物が丸まってるような感じ。
マイティ　でも、なにかがちょっと丸まれなくて……。

作品の周りをぐるりとまわった。角度を変えると印象や見た目がまた変わり、マイティは、「ほら 山に見えるよ。ボタッとした山！」と言い出した。

え、山……？　いや、でも、確かに山といえば山なのかもしれない。

有緒　山だとすると、すごく高い山だね。富士山みたいな、なだらかな山ではなく、エベレストの最後のほう。

白鳥　ふふふっ。へー！　ちなみにタイトルは？

マイティ　えーと『物腰』。

白鳥　へえ、物腰かあ。

有緒　これさ、コタツ布団を背中からバッってかけて、さむ！　って言った瞬間に似てない？

マイティ　顔だけ出てるやつね。もしくは二人羽織か。

有緒　そっか、布団をかぶったひとなのかもしれない。わたし、それが一番納得したかも。

たっぷりと時間をかけて展覧会をめぐったあと、わたしたちは千波湖のほとりを散歩し、白鳥たちを探した。湖の端まで行くと、お、いたいた、白鳥たちがすいすいと泳いでいる。湖の向こう側には、水戸芸術館のタワーも見えた。けっこう距離はあるが、白鳥さんはここまで散歩にくることもあるらしい。湖のほとりの道には、「白鳥横断注意」という看板がかかっていて、なんだか面白かったのでわたしは写真に収めた。

映画制作をしている関係で、翌日には《物腰（2015）》をめぐる自分たちの会話を聞きかえした。改めて音声だけで聞いてみると、まあ、なんとも支離滅裂な会話である。これをもとに作品をきちんと想像できるひとは第一回想像力選手権で優勝できるよ、と思った。あ、そっか。考えてみると、この自分たちの伝えられなさぶりまでしっかりと映像に焼き付けられるんだね。うげっ。

前も書いた通り、白鳥さんの頭の中には、見えるひとが頭に描くようなはっきりした色や形は浮かばない。イメージを共有し、正解にたどり着くことは一緒に見ることの目的ではない。それは重々わかっているのだが、普段から言葉で伝えることを生業とする理想の自分とのギャップがはっきりと突きつけられ、ふーっとため息をついた。その一方で、映画の制作者として客観的に見てみると、なかなか興味深い会話が撮れたじゃないか、などと思うのだから、心中は誠にアンビバレントなのである。

電気が消えた部屋の中

翌日は、白鳥さんの家を初めて訪問した。

ダイニングでは、超高速の読み上げ音声がパソコンから流れている。音声で操作するからモニターは必要なく、キーボードだけが電子レンジの上に置いてある。足元を見ると、ハサミが床のはじっこに置いてあった。落ちているのではなく、きちんと置いてあるという佇まいだ。白鳥さんにとっての定位置なのかも。

大きな本棚にはゆうこさんの本がぎっしりと詰まっていた。冷蔵庫には新聞や雑誌から切り抜いたレシピが貼ってある。休みの日はたいてい一緒にお酒を飲みながら話をしているというふたり。見えるひとと見えないひとの共同生活がそこにあった。

やがて白鳥さんは洗濯物をたたみ始めた。角を指先で確かめて、丁寧にたたんでいく。静かな時間で、わたしたちは気配を消して見守った。ところが、なぜだろう？　しばらくすると急に違和感を覚えた。

あ、そうか、ダイニングテーブルを照らしている蛍光灯だ。

「ねえ、白鳥さん、いつも家の中で電気をつけてるの？」

「あ、いや」

「じゃ、いつも通りでお願いします」

電気を消してもらい、撮影を再開。家の中は薄暗くなったが、カーテンの隙間から光の気配がまわっていてきれいだった。そのときピンポーンとチャイムが鳴った。

「あ、はい」

洗濯物をたたむ手を止め、玄関に向かう白鳥さん。

「朝日新聞です、集金にきました」

白鳥さんは慣れた手つきで玄関の電気をつけ、お金を払い、また集金のひとが帰ると電気を消した。パチッという音とともに部屋は薄暗い空間に戻った。

日課の散歩にもついていった。白杖とカメラを手に白鳥さんがぐんぐんと歩いていく。近所の小学校の前を通りかかると、小学生たちが考案した標語がフェンスに貼ってあった。

みつけよう　人のいいとこ　光るとこ
負けないで　いつも　あなたを見ています

白鳥さんはカメラを左手に持ち、例の「読み返さない日記」をつけ始めた。かなり頻繁にシャッターを切っている。さすが四〇万枚も写真が溜まるわけだ。

　こうして白鳥さんの後を追いかけていると、いつもよりもくっきりと街の音が耳に飛び込んできた。青信号を知らせるピコピコいう音、スーパーの特売を知らせるアナウンス、道路工事、店舗に流れるクリスマスソング、隣を歩くひとたちの話し声。こんなにいろんな音がしているんだなあ。街は人々の営みで躍動し、ざわめいていた。

再び千波湖の近くの公園に戻り、白鳥さんのインタビューを撮影した。初の美術館デートで見たダ・ヴィンチや湖に見える原っぱの作品のことなど、これまで何度も聞いてきた話だったけれど、やっぱり面白かった。

インタビューが後半に入ると、白鳥さんはふと言った。

「さっき、歩きながら思ったんだけど、その、最近はひとりで自宅にいるときは電気消してるんだけど、前はつけてたんだなって」

「ん？」

「だから、何年か前までは部屋の電気をつけてたんだよ、自分ひとりのときも」

「そうなんだ。どうして？」

「はっきり考えたわけじゃないけど、前は目が見えないけど、ちゃんと俺はここにいるよっていうのをね、アピールしてた。全盲でも同じように生活してんだ、みたいな、そんなイメージだった。でも最近は、全盲のひとが電気つけないのは当たり前じゃん、別にそれでいいじゃんって。なんかそういうところも気分が固まってきたんだな」

「それまでは、ほかのひとと同じようにしなきゃ、という気持ちがどっかにあったのかな」

「うん、そうだね。でも、それはもういいやって」

初耳だった。

もしや、白鳥さんが前に話してくれた「自分が存在している感覚が希薄」とも関係があるのだろうか。存在の希薄さを意識するからこそ、外に向かって灯りを放ち「いま自分はここにいる」と伝える必要があったのかもしれない。家から漏れる灯りに実は別の意味が込められている。そんな可能性を想像したこともなかったわたしは、きゅっと胸が詰まった。

そういえば、わたし自身も、自分の存在の希薄さを感じた瞬間がある。三二歳のとき、ひとりでパリに引っ越した夜、街ですれ違うたくさんのひとを、誰ひとりとして知らない、そのひとたちが話す言葉がまったくわからない、とその事実に気がついた瞬間、呆然とした。わたしは今日からこの街で暮らそうとしている。それなのにいま、この瞬間にわたしが消え失せても誰も気がつかないだろう——。

それは奇妙な感覚だった。心細さとも似ているけれど、それだけではなかった。誰のことも認識できず、同時に誰からも自分が認識されないことで、自分が透けて、存在していないように感じた。あのとき、わたしはインターネットカフェに入り、ローマ字を駆使して日本にいる友人と家族にメールを送った。いま思えば、「わたしは、いまここにいるよ」とアピールせずにいられなかったのだと思う。

あれからたくさんのひとと出会い、人間関係が生まれるにつれ、自分が透けたような感覚は消えていった。白鳥さんもそうやっていつしか電気をつけなくてもすむようになったのだろうか。それは素直に祝福すべきことだと思った。それでも想像し続けないといけない。いまこの瞬間にも「ここにいる」を伝えたくても伝えられないひとがいることを。

いよいよインタビューが終わりに近づくと、いままで聞きたくても聞けなかった質問も思い切ってしてみた。

「すごく聞きにくい質問なんだけど、聞いてみてもいいですか。あの、この先に医療が発展して、手術とかであなたの目が見えるようになりますって言われたら、見えるようになりたいですか」

以前、そういうひとのことを『46年目の光　視力を取り戻した男の奇跡の人生』という本で読んだことがあった。そのひとは三歳で事故に遭い視力を失ったが、四六歳のときに幹細胞移植手術で視力を取り戻した。まだ世界でも数えるほどしかない事例だが、現代の医療技術の驚くべき発展の先にはそういった可能性もあるに違いない。

すると、白鳥さんは即座に答えた。

「俺はなりたくないね。小さいころから目が見えないままでやってきて、いまさら見えるようになったら余計大変じゃないかなー」

それは、漠然とだけど予感していた通りの答えで、そっか、と相槌を打った。

「（目が）見えたらいいこともあるんだろうけど、どうせ見えるようになるんだったら子どものころからやり直させてほしいな。でも、いまから見えるようになるよ、それ選べるよって言われたら、いや、どうしようかなあ。もう選ばないいんじゃないかな」

わたしは頷いた。彼はこの世で偶然に与えられた体を受け止め、いまを楽しんでいた。

美術と出会って楽になった

水戸での撮影の最終日には、水戸芸術館現代美術センターの森山純子さんをインタビューすることができた。その日の森山さんはあまり時間がなかったが、次の予定の時間ぎりぎりまで、白鳥さんとの出会いからいままでのことを話してくれた。

前に書いたが、森山さんは初めて白鳥さんと一緒に鑑賞したあと、「本当にあれでよかったんだろうか」とモヤモヤしていた。そして一年後に参加したワークショップで偶然に白鳥さんと再会し、白鳥さんと一緒に研修やワークショップを企画したりするようになる。やがて白鳥さんは水戸に転居。それらの研修やワークショップは水戸芸術館で毎年行われる「視覚に障害がある人との鑑賞ツアー『セッション！』」に結実した。白鳥さんと一緒に見ることは、二〇年以上が経ったいまでもやっぱり面白いと森山さんはニコニコしながら言う。

「一緒に鑑賞することは、白鳥さんの喜びというのもあるのですが、目が見えるわたしたちもその活動からたくさんものを得てきたし、水戸芸術館の内部でもまた変化が起こりました」

彼女の温かみのある穏やかな声は、一緒にいるひとを安心させるような力がある。

「美術館にはたくさんのボランティアの方がいるのですが、こういった活動に触れるにつれてボランティアの方たちや作品を管理するスタッフも、いろんなことに慣れていきました。いまは障害がある方が美術館にいらしても、みんながすっと自然にご案内できるようになったと思います」

時を経てみれば、白鳥さんが美術に出会うことで起こった変化は、なにも彼自身のことにとどまらなかった。彼という存在に触れたひとたちの意識や人生もまた変わり、静かな湖面に立つさざ波のようにすーっと遠くまで広がっていた。

「でも、こうした活動を通じて言えるのは、なによりも自分が楽になることですよね。いろんなひとがいて、どんな状況でもやっていけるって」と森山さんは続けた。

この「美術と出会って楽になった」という言葉は、この二年間で何度も耳にしてきた。マイティ、白鳥さん、そしてわたしも本《もと》をただせば「ここじゃないどこか」を求めて美術館に逃げ込んだ。わたしたちは、自分に絡みついてくる常識や、女性、盲人、高校生、社会人など、押しつけられるステレオタイプや「べき論」から、自由になりたかった。そうして家や学校、職場を飛び出したとき、そこにたまたまあったのが美術館だった——。

こうして森山さんの話を聞きながら、これから作る映画は「全盲の美術鑑賞者」だけではなく、美術という懐の深いものに出会ったひとたちの話でもあるんだと思った。

まだ少し時間があったので、雑談を交えて話を続けていると、森山さんはふと「実は、わたしの娘はダウン症なんですけど……」と語り始めた。

わたしは自分の声が映像に入らないように無言で頷いた。

「いま出生前診断とかで、お腹の中にいるときに異常が見つかったら産まないという選択ができると思うんですけど、わたしはそういった検査をしますかって聞かれたときに検査をすることを選びませんでした。褒められたものではなくて、そんな大事なことを自分は二週間とかで決められないと思った、という消極的な理由です。でも、あのとき、あんまり自分の選択に迷わなかったのは、白鳥さんとか障害を持つひとたちに会ってきたこともあるって、あとから思ったんです。生まれてきて娘がダウン症とわかったときはびっくりはしましたが、わりと落ち着いてすっと事実を受け入れられたのは、自分が関わってきたいろんなひとや活動に助けられたんだなって思います」

そうして森山さんは、「さらに娘の存在から得たこともとても大きくて、落ち着いてこの仕事をしてこられたのは、彼女のおかげだったと思います。彼女が数少ない語彙の中から届けてくれる言葉はとても美しくて、その言葉は辛いできごとに直面したときに、わたしを何度も慰めてくれました」と語った。

さっきの「自分が楽になる」には、まさか、そういう意味があったのか。ハッとした。森山さん親子が過ごしてきた人生の時間と、わたしがもやもやと考え続けてきたことが急にクロスし、目の前をさっと流れていこうとしていた。人生の中でわたしたちの前に忽然《こつぜん》と現れるたくさんの分かれ道。その先を歩いてきたひとが目の前にいた。

待って、もう少しだけ待って。ああ、森山さんにインタビューする時間はもうほとんどないはずだ。でも、森山さん親子の時間のはじっこだけでも捕まえて、自分の中にしまっておきたいと思った。

「娘さんは、いま何歳なんですか?」とわたしは聞いた。

「もうすぐ二〇歳なんです」

そう言うと森山さんの顔がパッとはじけ、ひとが愛するものについて語るときの嬉しくてたまらないという最高の笑顔になった。この表情を世界中のひとに見てもらいたいと思った。まだカメラはまわっていた。

水戸のあとは新幹線で浜松に移動し、白鳥さんの友人、ホシノマサハルさんを訪ねた。先述したようにホシノさんは、白鳥さんの人生の転機となった「目の見えない人と観るためのワークショップ——ふたりでみてはじめてわかること」(東京都美術館、一九九九年)の企画に関わり、その後も

ＭＡＲの主要メンバーとして様々な作品を白鳥さんと見ていた。

ドレッドヘアにニット帽を被ったホシノさんは、山裾にある工房の前でタバコを吸いながらわたしたちを待っていた。

「あれ、なんだ、アーリオだけか。けんちゃんは来なかったんだ」

彼はわたしをアーリオと呼ぶ。それはパスタの〝アーリオ・オーリオ〟と同じ発音だ。

「わたしたちだけですみませんねえ」

ホシノさんは、「まあ、いいや。まずはうまいお茶でも飲んでくださいよー」とお茶を淹れてくれた。だるまストーブがしゅんしゅんと小さな音を出しながら広い工房を温めている。大きな湯呑みでお茶を飲みながら、ホシノさんは上機嫌に言った。

「最近、ひととあんまりコミュニケーションをしない、そんな時代じゃないですか。打ち合わせとかもさあ、テレビ電話で済むじゃんとか言われて、これからの活動も八割リモートでよろしくとか言われると、なんだよ、これが二〇二〇年の終わり、二一年の風物詩なのか、ふざけんな、みたいに思うよね。なんか、立川談志が死んじゃったみたいな感じがするよ」

まわりくどい言い方だったが、どうやらわたしたちの訪問を喜んでくれているようだ。しばらく世間話をしていると、急にカメラがまわっていることを思い出したのか、白鳥さんの話が始まった。

「そうだよね、けんちゃんだよね。けんちゃんはさあ、デートでダ・ヴィンチ見て……とか、いつもそういう話をするじゃない？　でも、その〝はじまりのはじまり〟を紐解くには、なんでけんちゃんはひとりで美術館なんか行ったんだろう。ここなんですよ。ここに彼の宗教観とか、考え方がすべて詰まってる」

えっ、そこ？

改めて問いを投げかけられても、わたしは彼が美術館に行き始めた理由は、「デートでダ・ヴィンチ」以外のことは考えつかなかった。

こうしてホシノさんは、その〝はじまりのはじまり〟を紐解くべく、二十数年前にふたりが出会ったばかりのころの話を始めた。

「あの当時、けんちゃんにね、盲学校の授業ってどんなものがあるの？　とか色々聞いて教えてもらってたことがあるの。その中で、『けんちゃん、映像ってわかる？』とか『手に持ってるリンゴってさ、さっき泊まってたホテルよりも大きいんだよ』とか話したんですよ。すると、けんちゃんは、『えー、だってさっき俺たちが泊まってたのは、三六階のホテルだよ。それよりリンゴが大きいってどうして？　えー⁉』みたくなるわけですよ」

リンゴがホテルより大きい？　話が呑み込めず、「どういうこと？」と聞き返した。

「『いや、だからそれはねえ、遠近法っていうのがあってさ、遠くにあるものは、大きくても手前にある小さなものに隠れちゃうんだよ』って」

あー、なるほど、遠近法の話ですね。

「そうすると、けんちゃんは、『えー、〝隠れる〟ってなに？　わかるけれど、わからない』になるわけですよ。そういう『わかるけれども、わからない』は子ども時代に経験したあらゆる事柄に等しいんですよ。なんで空って青いの、なんで塩ってしょっぱいのとか。けんちゃんは、『その不思議さっていうものがわからないまま、俺はここにいるよね』って言ったんです」

――不思議さがわからない――

ホシノさんの洞察は見事だった。そうだ、白鳥さんはいつだってわかりやすくないもの、混沌としたもの、答えのない疑問を愛した。そうして、それに対して相反する視点や意見を知りたがった。そうなのか、なぜひとは不思議に思うのか、その不思議さ自体がわからない、それが彼の美術鑑賞の源流、つまり「はじまりのはじまり」なのかもしれない。

二一歳までほぼ盲学校の中で生きてきた白鳥さん。彼は盲人社会しか知らないままでいいのかとわざわざ遠く離れた愛知の大学を選んだ。きっと白鳥さんは、自分をとりまく世界、触れられないもの、さらには見えないものを含め、ありとあらゆるものを自分の感覚でまさぐりたいと願っていた。だから「美術館」という、全盲のひととは最も遠そうなアナザーワールドにわざわざ越境し、乗り換え案内の最短経路なんか無視して各駅停車の旅を続けたんだ。ホシノさんは話し続けた。

「あるときからさ、急に視覚障害者が歩くプレート（点字ブロック）がね、全駅に張りめぐらされて、全空港に張りめぐらされて、続く地下道に張りめぐらされて。でも、視覚障害者のひとたちが白い杖を持ちながら、お、ここまだ行けるな、トントントンと進んでいると、ドシンとなにかにぶつかっちゃうわけですよ。え、なんでなんで⁉　と思うと、そのプレートの上に自転車がばあっと置かれてる。おい、これ、置くとはけしからんぞって思うんだけど、『だって駅前の駐輪場の料金、高いですもん！』とか、『ちょっと五分ぐらいだから』とか、みんなそれぞれの理由で道を阻害している。でも、けんちゃんも俺も、別に阻害してしまっていいよね〜っていう立ち位置だった。あいつらのその乱暴ぶりに俺たちは凹《へこ》まないぞ。だって俺が歩く道はプレートの上だけじゃねえもん！　どこだって行けるんだよ。俺は、介助者がいなくても電車に乗れる、お金なくても青春18きっぷがあればどこまでも行けるんだぞって」

　わたしは無言で頷いた。ホシノさんは桜餅をパクパクと頬張りながら話を続けた。

「でもね、そうやって出かけている間にね、けんちゃんは、酔い潰れちゃうんだよ！　バカだな〜って。でもそんなけんじが、僕は愛《いと》おしい。なんていうのかなあ、人間なんですよね。そのハチャメチャな人間が、僕は羨ましくてしょうがない！」

　ホシノさんは桜餅をまたガブリと食べ、うわっはっはっと豪快に笑い、わたしもつられて大笑いした。

　ホシノさんが持つ柔らかな心、そのどこまでも続く地平線のような感覚に触れたせいか、話の途中に急に涙がほろっとこぼれた。あれ、わたし、いまどうしたんだろう、と思ったときにはもう涙を止められなくなってしまった。たくさんのひとをインタビューしてきたけれど、こういうことはめったに起きない。わたしと彼の間にある空気はビリビリとして、皮膚が痛いくらい震え続けた。ああ、だからホシノさんと白鳥さんは友だちになったんだと思った。

　二時間以上も話を聞き、工房をあとにした。撮影はこれでおしまいだ。浜松駅で別れた大輔はそのまま自宅がある松本に戻り、わたしも数日ぶりに東京に戻った。目の前はもう師走だった。

帰りの新幹線の中で、わたしは自分に問い続けていた。

そもそも、なぜわたしは、白鳥さんと作品を見続けてきたんだろう？

最初は、作品のディテールを言語化することで、自分の目の「解像度」が上がるような感じがした。そして、目が見えない白鳥さんとわたしが「お互いがお互いのための装置になったみたいで面白いな」と感じた。せっかくだからもっと一緒に作品を見れば新たな発見があるだろうと思った。

実際に発見は多かった。

わたしたちは、白鳥さんの見えない目を通じて、普段は見えないもの、一瞬で消えゆくものを多く発見した。流れ続ける時間、揺らぎ続ける記憶、死の瞬間、差別や優生思想、歴史から消された声、仏像のまなざし、忘却する夢——。

そのゆっくりとした旅路の道中で、幾人ものひとがこの美術鑑賞というバスに乗り込み、流れ続ける景色を一緒に見てきた。

あのバスの旅の気分を歌にたとえると、『オー・シャンゼリゼ』である。

街を歩く心軽く
誰かに会えるこの道で
可愛い君に声をかけて

こんにちは僕と行きましょう
オー・シャンゼリゼ
オー・シャンゼリゼ
いつも何かすてきなことが
あなたを待つよ　シャンゼリゼ

僕らはほかの誰にもなれない

撮影が終わった翌日から、ぶっ通しでインタビュー録音を聞き、会話やインタビューをすべて書き起こした。それをもとに映画の構成を考えていく。これが正しい手順かどうかなんて知らない。でもずっと文字で表現してきた自分には、この方法しか思いつかなかった。年末までにどうにかいったん構成案をまとめると、わたしはまたマイティと年越しすき焼きを食べた。正月の間に大輔が構成案通りに一本の映像に繋いだ。作ろうとしていたのは三〇分ほどの短編だったのだが、「まだまだ尺が長いよ」と言われ、確認してみると、うげっ、と思った。もっさりと長く、冴《さ》えない映像がそこにあった。ううむ、映像と文字って入れられる言葉の量や見せ方がまったく違うんだなと理解し、正月の間もずっとなにを入れ、なにを削ぎ落とすのかを考え続けた。

改めて様々な映像を見直していると、これまでまったく気がつかなかったことにも気がついた。例えばそれは《夢の家》に泊まった翌朝の録画である。純也さんやマイティなど四人がそれぞれ「夢の本」に夢を書き終え、朝食の準備を始めたところだ。わたしと純也さんは台所にいて、「前日の残り物のかき揚げと卵焼きがあるはずだよ」とか「あー、かき揚げは、胃が受けつけなそうな気配がする」などとどうでもいい話をして笑っている。カメラはそのふたりの音声を拾いながら、白鳥さんの表情をアップで捉えていた。そのとき、会話を聞く白鳥さんが目を細め、急にクスッと笑った。

ああ、あのときの会話を聞いてたんだ、それで笑ったんだ。そうわかると、胸が締め付けられるようだった。白鳥さんは子どものころ、よく家族と一緒にテレビで『8時だョ！全員集合』を見ていたという。そのとき、目が見えない白鳥さんだけは笑いのポイントがつかめないままだったけれど、「それでもみんなが笑っているときはとにかく一緒に笑っちゃえ、そうすれば楽しい気分になれた」、と話してくれたことがあった。

こうやっていつも彼は、みんなと一緒に笑ってきたんだと思った。それは大輔が朝から晩まで撮影していなかったら、永遠に見られないはずのひそやかで愛すべき笑顔だった。

美術館、水戸の街なか、白鳥さんの家、スーパーマーケット、喫茶店、水戸芸術館、千波湖、ホシノさんの工房、喫茶店、飲み屋、新潟の旅――。何度も同じ映像を見返した。

普段ものを書くときのわたしは、インタビューの録音を文字に起こしたあとは、よほどじゃない限り録音を聞き返さない。しかし、映像の編集作業では、何度も同じ場面を見ていくことになる。そうしていくうちに、言葉や会話だけではなく、ちょっとした表情の変化や息継ぎの間《ま》、指先の動き、吹き抜ける風、頭上を飛ぶ鳥、紅茶の湯気まで実際にそこにあるように感じられた。それは言葉というものを、それ以上の実体を伴った別の存在にしてくれるもので、白鳥さんがまさにバーチャル鑑賞ではわからないと言った部分だった。

別の映像の中では、わたしと白鳥さんが喫茶店でお茶を飲みながら雑談をしている。真冬なのに暖かい日で、わたしはアイスコーヒーを、白鳥さんは紅茶を飲みながら、「ぼおっとする時間が好きだよね」という話をしている。

実はわたしは通知表に「いつもぼおっとしています」と書かれるくらい、ぼんやりした子どもだった。浮かんでくる風景や思考、空想に身を任せていると時間が経っていった。あるとき、ふとしたきっかけから、子ども時代に空想ばかりしていた理由がわかった。わたしの両親は家で喧嘩《けんか》が絶えなかったのだが、ひたすら空想の世界に身を委ねることで、聞きたくない会話から気を逸らしていたのだ。そして白鳥さんも子どものころから空想が得意だったという。「子どものころはあまりほかのひとと話さなかった」という白鳥さんは、そりゃあもう空想が得意になったはずだ。空想好きであることは、わたしたちの共通点だった。

（喫茶店の場面）

白鳥　そう、俺なんか、本当にコロナになってからぼおっとする時間がやたら増えちゃって、もうまったく生産的じゃない。

有緒　わたしも。でも、具体的にアウトプットはしなくても、自分の中でなにかは生まれてるよね。

白鳥　そうそう、二〇代のころなんかは、正解を探してたわけ。正解を知りたくてあれこれ考えているんだけど、でもさ、たとえば相手のことは、結局いくら考えてもわかんないじゃん。それで、自分自身のこともわからない。

有緒　前に言ってた自分の存在感のこと？

白鳥　うん、こうやって誰かと話したり、なにかに触れたりしてれば、自分がここにいるっていうのは信じていいと思うんだけど、例えばひとりでなにもしゃべらずにじっとしてたら、なんか自分が存在してるのかしてないのかもわからなくなっちゃう。もっと言うとさ、眠ってるときは、自分がどうなってるかなんてわからない。酔っ払って記憶を失っても、わからなくなる。過去は一応思い出せるけど、一〇〇パーセント正確に再生できるわけじゃない。

有緒　そうね。うん。うん。

白鳥　そしたらね、確認できるのは本当に部分的なところだよね、だからね、あれ、シュレーディンガーの猫です。

有緒　シュレーディンガーの猫……ってなに？

白鳥　だから、量子力学の世界でさ、あまり小さい世界だから確認できないっていうパラドックス的なことを表す用語なんだけど。

有緒　聞いたことない。メモする……。その猫のことは知らないけど、たまにさ、わたしは自分の輪郭ってなんだろうと思うときがあって。どこからどこが自分なのかなって。奇妙な感覚だけど、ときどき自分の輪郭が曖昧になったように感じるの。それと似てるかな。

白鳥さんが言わんとすること、そしてわたしが言っていることは、似ているようで、実は土星と梅干しくらいかけ離れているのかもしれなかった。映像を通して客観的に見ると、かなりちぐはぐな会話をしていた。結局のところ、わたしは白鳥さんというひとの世界をどこまで理解できているのだろう。

そうしているうちに、ずっと考えてきた疑問がリターンしてきてしまう。

――なぜ、わたしは白鳥さんと一緒に美術館をめぐってきたのだろう。

わたしはヒント代わりの〝シュレーディンガーの猫〟を検索する代わりに、ホシノさんのインタビューの録画を再生した。

画面の中でホシノさんは、以前参加した視覚障害に関する研修の話をしている。そのとき、晴眼者がアイマスクをつけて視覚障害を疑似体験したらしいのだが、ホシノさんはそれに対して疑問を呈していた。

（ホシノさんの工房）

アイマスクをすると、いったんは視覚障害者みたいになるじゃない？　でも、その研修終わったあとアイマスクを外してみんなが言うんですよ、わあ、見える、見えるって。見えるってやっぱりすごい！　みたいなこと。それを見るとね、あなたはどこかのテレビゲームみたいなことをお遊びでやってんですか、って思いました。視覚障害者の気持ちになるためにアイマスクを付けることがどれほど愚かでバカらしいことか。

突き詰めてしまうと、僕はけんちゃんの頭の中に入り込めない。感覚にも入り込めない。ただ寄り添うだけなんですよ。このことがどれだけ大事なことか。視覚障害者の気持ちになれたと思い込む時点でアウトなんですよ！　そのアウトさが世界を覆い尽くしていく。

このとき画面上のホシノさんに対し、画面のこちらにいるわたしが反論をしたくなった。でもさあ、ホシノさん、見えるひとがアイマスクをつけて過ごしてみることは、想像力を働かせるきっかけくらいにはなるんじゃないですか？　想像することってけっこう難しいから、なにかそういう方法やツールがあることはいいことじゃないですか。それに、そういう他者への想像力や共感する力こそが、いま社会で必要とされるエンパシー（共感力）というものではないのですか。わたしはそうやってほかのひとが直面する困難を想像できるひとになりたいと思いますよ――。

――しかし。

画面の中のホシノさんは続けてそれを力強く否定していく。

僕らはほかの誰にもなれない。それは心身を疲労してドアを閉じてしまう鬱状態のひとにも、多動症のひとにもなれない。視覚障害者にもなれない、僕らはほかの誰にもなれない。ほかのひとの気持ちになんかなれないんですよ！　なれないのに、なろうと思ってる気持ちの浅はかさだけがうすーく滑ってる、そういう社会なんですよ、いまの社会は。だから気持ち悪いの！　だから、俺たちは、むしろ進んで、いい加減に、わあああって言いたいんですよ。この世界で、笑いたいんですよ。


――僕らはほかの誰にもなれない――


何度かリピート再生するうちにわかった。

ホシノさんが言うことは真実だった。そう、必死に誰かの立場になって想像したとしても、わたしたちはほかの誰かの人生や感覚まで体験することは決してできない。同時にわたしたちは、ほかのひとになる必要もなかった。苦しみも喜びもすべてはそのひと自身のものだ。だから彼が伝えたいことは、想像力よりももっと手前にある部分だった。寄り添うことしかできない？　いや、それもそうなんだけど、そのあと。

——この世界で、笑いたいんですよ——

これだった。わたしは、なぜ白鳥さんやマイティと一緒に作品を見続けてきたのか。この二年間を振り返ってみると、一緒に作品を見る行為の先にあるものは、作品がよく見えるとか、発見があるとか、目が見えないひとの感覚や頭の中を想像したいからではなかった。

ただ一緒にいて、笑っていられればそれでよかった。

ものすごく突き詰めれば、それだけに集約された。

画面の中のホシノさんは、にこにこしながら桜餅をまた頬張り、アーリオさあ、とわたしに呼びかける。その発音はアーリオ・オーリオと同じだから、わたしの頭の中には美しいイタリアの風景が浮かぶ。

絵を見る活動ね。やりやすいんですよ、確かに。

でも絵を見る活動で絵を見ようとなんかしていないんですよ、俺も建二も。

ただ、そこにいるひとたちと……いたいんですね——。

わたしは映像をストップした。

うん、そういうことだ。

二〇年目の真実

毎朝目を覚ますと、規則正しく大輔が編集スタジオとして使う都内のアパートに通った。ドアを開けると、たいてい大輔は立ったまま編集作業に没頭していた。前に腰を痛めてから「このほうが楽だから」というそのスタイルは、押し入れの上段にちゃぶ台を置き、その上にパソコンを置いて、立ったまま操作するという独自のものだ。

世の中ではコロナの第三波が訪れていた。東京では二度目の緊急事態宣言が出され、再び多くの美術館がクローズを余儀なくされていた。夏にはパンデミック下のオリンピックという《ディスリンピック２６８０》ですら軽く超えてゆくようなことが現実になるのかもしれなかった。わたしたちはただそれを横目に見つつ、寝癖をつけたままおにぎりを頬張り、この映画はいったいどういう映画なのかを話し合った。だいたいの目指す場所は一致していたが、入れたい場面や大事にしたいものが違うこともあった。頭で考えてもわからないので、ここからはひたすら映像を入れたり、削除したり、音楽や映像、言葉を入れたり消したりを繰り返した。といっても実際に作業しているのは大輔だから、わたしはただモニターを眺めながら、「ちょっとストップ。あの、いまのところなんだけどさ……」「やっぱり、さっき消したあの言葉を入れたいなあ」「この音楽なんか合わないね」などと口を挟むばかりのウザいやつである。でも、彼もわたしと同じくらいシツコいひとだということがわかったので、遠慮もしなかった。わたしがなにかひとつ言うと、たいてい「うん、そうだよね」と答え、朝になるたびに「昨日、あれからまた編集しなおしてみたけど、これってどう思う？」と言うのだ。え、どれどれ。

同じ映像なのに何回見てもまったく飽きなかった。

どうしてだろう。

なんというか、映像という湖で泳いでいるうちに、その水の冷たさや、湖に棲む魚や鳥、沈んでいるゴミ、アメーバや有機物などそこにあるすべてが自分の中に浸み込んでくるみたいだった。湖に水鳥を眺めにいったら湖そのものになってしまったみたい。

気持ちがいい。このまま泳いでいこう……。

ほどなくして、表現したい、伝えたいという気持ちが溢れた。

コロナ禍で意欲を喪失し、書くことにつまずいていたわたしに必要だったのはこれだったのかもしれなかった。湖とも水鳥とも、そこにあるものすべてと自分が一緒に揺れ、溶け合って、分かちがたくなっていくこの感じ。この世界、時代、今日をともに生きる生命として自分たちにしか見届けられないものを懸命にすくいあげ、混ぜ合わせる。これがわたし自身の「いま、ここ」であり、「この世界で笑いたい」の痕跡だった。

いよいよ編集作業も終わりが見えてきた。おっ、気がつけばそこにゴールテープが見えているではないか。よし、もうちょっとだぞ。あと三〇分も頑張れば終わるはず。これなら今日は終電に間に合いそうだ。

しかしその段階にきて、大輔は「もうだめだ、一〇分間でいいから寝る」とふらふらした足取りで別室に消えていった。この五日間ほど作業がぶっ通しで続き、彼はほとんど寝ていないようだ。わりとちゃんと寝ていたわたしは、ほんとに一〇分で起きてこられるのかしらと疑いながら布張りの椅子に身を預け、天井からぶらさがった電球を見つめていた。


疲れていた。頭は空っぽだった。感覚だけがやけに研ぎ澄まされ、心の中はしいんと静まり返っていた。


なにかが生まれようとしている。

表現者の誰もが知っているこの感じ――。

過去も未来もどうでもよくって、「いま」だけが全存在になる。自分の中にある小さき生き物が震え、蠢き、得体のしれないなにかが形作られようとしている。そのまだ見ぬなにかの温かみが、自分の中にある途方もない空洞を埋めてくれる。こうして、先史時代からいまに至るまで人間はなにかを表現し続けてきたんだよなあ。ああ、でもこの特別な瞬間はもうすぐ終わってしまう。長くは続かない――。


一〇分間が経つと、大輔は本当にまたパソコンの前に立った。とはいえ、三秒後にも起きているために全力を尽くしているように見えた。

「あとなにをしないといけなかったっけ?」と大輔が聞いた。

「写真を差し替えて写真のクレジットを入れる。あとエンドロールの文字を調整しよう」

「わかった」

そこまで終えたのを見届けると、わたしは冷蔵庫に冷やしていた小瓶のシャンパンを開けた。ふたりとも疲れすぎていてあまり喉を通らなかった。


ひと通りできあがった映像を白鳥さんに送った。次の日に電話をかけると「うん、見たよー」と白鳥さんはいつもどおりの静かな口調で言う。

「なんか気になるところ、あったりした？」

「いや、別にない。いいんじゃない？」

そのあっさり度合いはいかにも白鳥さんらしい。

「そういえば、映像になにが映っているかとか、テロップになにが書いてあるかとか説明もしないで送っちゃった。ごめんね」と言うと「いや、ゆうこさんと一緒に見たから大丈夫だよ。俺は特に気になることはなかった」と答えた。

さらに雑談をしてると、白鳥さんが唐突にこう言い出した。

「そうだ、ホシノさんのさ、リンゴとホテルの遠近法の話のところなんだけど、あの話って俺のことじゃないんじゃないかなあ。俺、あんなこと言ったたっけかなあ」

え！　なんだって。心臓がきゅっとした。

「なに、どういうこと？」

「なんか、ホシノさんとあんな話をした記憶がないんだよねえ」

え、ホシノさんは、昨日のことのごとく確かな口調で話していたのに？　じゃあ、あれはホシノさんの勘違いってこと？

そうなのか、じゃあどうしたらいい？　混乱してしばらく黙り込んだ。

だめだ。

あああーー！　と自分を呪った。いくらなんでも、当の白鳥さんが記憶にないならば、あの部分はカットするしかない。ちゃんと確認すべきだったなあと反省しつつ、「じゃあ、わかった。カットするね」と言った。すると白鳥さんは「いや、俺はあのままでいいと思う」と言った。

「いや、まだ削除できるから大丈夫だよ」

「いや、もしかしたら、ああいうことがあったのかもしれない。ホシノさんがそう言うなら、あのままでいい」

「ほんとに？」

「うん、ほんとにいい」

その続きの言葉は、言われなくてもわかった。

――だってさあ、過去の記憶って思い返すたびに上塗りされているわけだから、どんどん変わっていくわけじゃない？　そういう意味では、自分の記憶だと思っているものは、常に新鮮な状態の「過去の記憶」じゃない？――

真実を知るのは、二〇年くらい前のふたりだけだ。いまのふたりがそれでよいというのならば、これもひとつの真実なのかもしれなかった。

ふたりの記憶の違いがどうであれ、ホシノさんの「けんちゃんが愛おしい」「一緒に笑っていたい」という思いは泣きたくなるほど力強いものだった。ホシノさんと白鳥さんは、なんらかの「瞬間」を共にしたのだろう。ホシノさんの中にある白鳥さん、白鳥さんの中にあるホシノさん。白鳥さんの「あのままでいい」と言うひとことで、お互いを思う気持ちが映像に閉じ込められた。

「わかった、じゃあ、このままでいきます」

こうして五〇分の中編映画『白い鳥』が完成し、オンライン上のシアターで公開された。

なんども見返したいほど好きなシーンなのに、映画には入らなかった部分もある。そのひとつが喫茶店の「コロナで最近ぼおっとしている」という会話の続きだ。白鳥さんはヨーロッパの街が描かれたカップで紅茶を飲んでいる。

有緒　ねえ、白鳥さんが幸せ感じるときってどんなとき?

白鳥　幸せだなって思うときか。それはね、もう話が通じるとき。例えば初めて会ったひと同士が話をして、それ知ってんだとか、そうそう! みたいにお互い納得し合って、すごく仲良くなっちゃう、そんなことがあったりするじゃん。物の見方とかさ、価値観とかさ、そういうことが通じると、その人と話せてよかったっていうのもあるし、このひとがいてくれてよかった、自分もここにいてよかったみたいに思う。

有緒　じゃあ、ちょっと抽象的な質問だけど、あのさ、その幸せはどこにあると思う？　体験の中にあるのか、自分の気持ちなのか。

白鳥　うーん、俺にとっては時間だよね。うん、時間の中だね。

有緒　時間の中に幸せは流れる？

白鳥　うん。時間だから、それはとってはおけない。あとはその経験を自分がどれだけ信じるか、思い出して確かなものだって信じていけるかっていうことかな。

幸せを感じたその時間を、その先も信じていけるか――。

人生は、荒野だ。

輝く満月が闇を照らしてくれる日もあれば、放置自転車とか路上に溜まった泥水とかに足をすくわれ、びしょ濡《ぬ》れになって石ころを蹴飛ばしたくなる日もある。幸せの絶頂にいるときは、ライフ・イズ・ワンダフル！　なんて思うわけだけど、ワンダフルってだいたい長く続かない。あとに残った現実はうんざりすることの連続で、ときにドアをバンと閉めきって、毛布をかぶって寝てしまいたくなる。それでも――。それでもわたしは、このさきもドアをあけ、路上に出るだろう。そして足元に広がる泥水を見つめ、そこから幸せな記憶を拾い出し、いま手にしているものは路上の石ころなんかじゃないと信じるだろう。ひとは「時」というものに抗うことはできないけれど

「時」を宝物にすることはできるから。

今日は、映画を作り終えて一カ月ほど経った冬の日だ。いま、茅ヶ崎にある旅館の一室で、白鳥さんと出会ってからの日々を書き終えようとしている。こうして書いている間にも刻々と過去は曖昧なものになりつつあるけれど、白鳥さんやマイティ、友人たちと過ごした記憶の手ざわりくらいは自分の中に残っていくだろう。そうだ、午後からは気温が上がるらしいから、コートを着ないで海岸まで歩いていこう。久々に『オー・シャンゼリゼ』を聴くのもいいかも。

こんにちは　ぼくと　いきましょう

誰かとわかり合いたくて、でも、誰ともわかり合えないような気がしてた。なにかを伝えたいのに、いざとなると出てこない言葉がたくさんあった。それでも、わかり合えない隙間を、話すことや書くことで埋められるんじゃないかって、そう思ってきた。でも結局は、話せば話すほど、書けば書くほどに遠ざかってしまったかもしれない。もどかしさと虚しさを感じながらこれを書いている。伝えられなさ、わかり合えなさを抱えながら、ただ歩いていくことしかできない。

五分ほどで、坂の向こうに海が見えてきた。

過去の世界から偶然に流れついた作品を前にして、たくさんの言葉が生まれては消えていった。作品に導かれるようにしてわたしたちは旅を続け、この世界で笑ってきた。

すべては、二年前の冬の日、三菱一号館美術館の「フィリップス・コレクション展」から始まったんだっけ。

前に一度、白鳥さんに聞いたことがある。

「ねえねえ、あの日、どうしてフィリップス・コレクション展を選んだの?」

「うーん、なんでだろう。よく覚えてないけど、たぶん俺が三菱一号館美術館に行ったことがなかったからじゃないかなあ」

そっか、理由は美術館だったんだね。

白鳥さんは美術館が大好きなのだ。

参考文献
ロバート・カーソン『46年目の光　視力を取り戻した男の奇跡の人生』池村千秋訳　NTT出版

謝　辞

この本ができるまでに、多くの方に多大なご協力をいただきました。鑑賞の旅を共にした友人たち、インタビューに応じてくださった方々、写真や資料の提供、事実確認をしてくださった美術館や作品関係者の皆さまにこの場を借りて深くお礼を申し上げます。

有村眞由美さん、市川勝弘さん、佐久間裕美子さん、矢萩多聞さん、奈良・興福寺のワークショップ参加者のみなさん、ナナオさん、滝川おりえさん、堀江節子さん、ホシノマサハルさん、佐藤純也さん、三好大輔さん。

三菱一号館美術館　酒井英恵さん、フィリップス・コレクション
水戸芸術館現代美術センター　森山純子さん、鳥居加織さん
高橋瑞木さん
国立新美術館　逢坂恵理子さん、ペリッチョーリ・エレットラさん、原美術館 ARC
Take Ninagawa
奈良県立図書情報館　乾聰一郎さん、興福寺　南俊慶さん
はじまりの美術館　岡部兼芳さん、小林竜也さん、大政愛さん
元田典利さん、NPO 法人スウィング　木ノ戸昌幸さん
わらじの会　山下浩志さん、やまなみ工房　早川弘志さん
黒部市美術館　尺戸智佳子さん、無人島プロダクション、桂書房
アートフロントギャラリー　山口朋子さん
越後妻有里山協働機構　横尾悠太さん、飛田晶子さん
茨城県近代美術館　澤渡麻里さん

また本の制作に関しては、佐藤亜沙美さん（サトウサンカイ）、朝野ペコさん、岸田奈美さん、河井好見さん（集英社インターナショナル）にお世話になりました。

最後に、この本の中で鑑賞した作品を生み出したアーティストの方々、一緒に鑑賞の旅をしてきた白鳥建二さんと佐藤麻衣子さんに、改めて敬意と感謝をお伝えします。

すべての表現者に乾杯！

エピローグ

二〇二一年初夏、「はじまりの美術館」で行われた「(た)よりあい、(た)よりあう。」展に白鳥さんの姿があった。撮りためてきた四〇万枚の写真をスライド形式で展示することになったのだ。わたしがその展示のことを知ったのは、この本の最終章を書き上げた直後、茅ヶ崎の海岸にいたときで、思わず海に向かって「きゃー」と叫んだ。

はじまりの美術館から今回の写真展示の相談があったあと、白鳥さんは《けんじの部屋》という新しい作品の制作を提案した。それは、展示室の一角に白鳥さんの自室を再現し、ただそこで日常を過ごすという試みだ。訪れた人々は、白鳥さんとおしゃべりし、写真を見て、ボードゲームをしたり、点字の地図を見たりして自由に過ごすことができる。インスタレーションのような、パフォーマンスのような不思議な「けんじの部屋」。展示期間は三カ月で、マリーナ・アブラモヴィッチのような長期戦である。日当たりがよい空間で、来館者がいないとき白鳥さんは座椅子で昼寝をしていることもあった。

そういえば、白鳥さんはこれまで雨の日は写真を撮らなかったが、猪苗代ではレインコートと長靴を身につけ、雨の風景もカメラに収めた。雲に隠れる磐梯山、眩しい新緑、小学校、雨粒、長靴の先っちょ、紫陽花、飲み屋の看板を写した一万五〇六二枚の写真がハードディスクに加わった。

わたしも《けんじの部屋》を訪れ、長い時間を過ごした。

ふと、展示室に貼られたパネルのプロフィールに目が留まった。「写真家」。それが、今回の白鳥さんの肩書きだった。そう、本当に写真家になったんだね、とわたしは思った。

全盲の美術鑑賞者・白鳥建二は、「はじまり」という言葉を冠する美術館で、表現者としての新たな一歩を踏み出そうとしていた。

上の２枚　しらとりけんじ《二》2021年5月7日

しらとりけんじ《けんじの部屋》

掲載作品クレジット

第1章　そこに美術館があったから
・ピエール・ボナール《犬を抱く女》(1922年) 69.2 × 39.0cm キャンバスに油彩
・ピエール・ボナール《棕櫚の木》(1926年) 114.3 × 147.0 cm キャンバスに油彩
・パブロ・ピカソ《闘牛》(1934年) 49.8 × 65.4 c m キャンバスに油彩
© 2021 - Succession Pablo Picasso - BCF (JAPAN)

以上 3 作品、すべてフィリップス・コレクション所蔵
(The Phillips Collection, Washington, D.C.)

第2章　マッサージ屋とレオナルド・ダ・ヴィンチの意外な共通点
・白鳥建二《白鳥建二のマッサージ室》2019年 水戸芸術館 撮影:川内有緒
・レオナルド・ダ・ヴィンチ《顔面と腕と手の解剖》(1510〜1511年頃)
28.8 × 20.0cm 黒チョークの跡にペン、インク、ウォッシュ
© Alamy Stock Photo/amanaimages

第3章　宇宙の星だって抗えないもの
すべてクリスチャン・ボルタンスキー作
・《出発》(2015 年) 60 × 280 × 10cm (文字)、170 × 280 × 10cm (作品全体)
ソケット、LED 電球、電気コード　作家蔵
・《最後の時》(2013年) 18 × 48 × 6cm　カウンター　作家蔵
・《聖遺物箱 (プーリム祭)》(1990年) 195 × 190 × 23cm、写真、金属製引き出し、布、ランプ、電気コード　所蔵:公益財団法人アルカンシエール美術財団/原美術館 ARC

以上 3 作品、すべて「クリスチャン・ボルタンスキ――Lifetime」2019 年
国立新美術館展示風景、撮影:上野則宏、(写真提供:国立新美術館)

・《発言する》(2005年) 板、コート、ランプ、サウンドボックス
・《スピリット》(2013年) 肖像がプリントされた布、ソケット、電球
・《ぼた山》(2015年) 衣類、円錐形の構造物、ランプ
・《白いモニュメント、来世》(2019年) 100 × 230 × 10cm (文字)、サイズ可変 厚紙、セロファン、ソケット、LED 電球

以上 4 作品、すべて作家蔵、「クリスチャン・ボルタンスキ――Lifetime」2019 年
国立新美術館展示風景　撮影:市川勝弘

以上 7 作品、すべて © Christian Boltanski / ADAGP, Paris, 2021

第4章　ビルと飛行機、どこでもない風景
フェリックス・ゴンザレス=トレス《無題 (偽薬)》(1991年) /《無題 (化学療法)》(1991年) 「水戸アニュアル '97 しなやかな共生」1997年　水戸芸術館現代美術ギャラリーでの展示風景　撮影:黒川未来夫　写真提供:水戸芸術館現代美術センター

以下 4 作品、すべて大竹伸朗作
・《8 月、荷李活道》(1980 年) 16.8 × 12 cm　Pencil, printed matter, magazine paper, silver paper, thin paper, felt-tip pen, wrapping paper, cellophane tape and masking tape on paper

・《エリック・サティ、香港》(1979年) 26 × 18.7 cm Ink and masking tape on paper
・《ビルと飛行機、N.Y. 1》(2001年) 91.0 × 72.7cm Oil and oil stick on canvas
・《ビルと飛行機、N.Y. 2》(2001年) 91 × 72.2 cm Oil and oil stick on canvas
以上 4 作品、すべて © Shinro Ohtake, Courtesy of Take Ninagawa, Tokyo
Photo：Kei Okano

第5章　湖に見える原っぱってなんだ
・クロード・モネ《洪水》(1881年) 60× 100.3 キャンバスに油彩
© agefotostock / amanaimages

みんなでアートを見る
・「フィリップスコレクション展」2019 年 三菱一号館美術館展示風景
・「クリスチャン・ボルタンスキー——Lifetime」2019 年 国立新美術館展示風景
・「大竹伸朗 ビル景 1978-2019」2019 年 水戸芸術館展示風景
・「わくわくなおもわく」2019 年 はじまりの美術館展示風景
・「風間サチコ展 コンクリート組曲」2019 年 黒部市美術館展示風景
・「6 つの個展 2020」2020 年 茨城県近代美術館展示風景

第 6 章　鬼の目に涙は光る
・エドワード・ホッパー《ナイトホークス》(1942 年) 84.1 × 152.4 cm キャンバスに油彩
シカゴ美術館所蔵
・法橋康弁《木造天燈鬼立像》(1215 年) 像高 78.2cm
・法橋康弁《木造龍燈鬼立像》(1215 年) 像高 77.8cm
以上 2 作品ともに寄木造、彩色、玉眼、檜材
・成朝 ほか《木造千手観音菩薩立像》(1229 年) 像高 520.5cm 寄木造、漆箔、玉眼、檜材
以上 3 作品、すべて 興福寺所蔵　撮影：飛鳥園

第7章　荒野をゆく人々
・折元立身《タイヤチューブ・コミュニケーション 母と近所の人たち》(1996 年) ポスター印刷
・折元立身《アート・ママ+息子》(2008 年) キャンパスクロス印刷
・NPO 法人スウィング《清掃活動「ゴミコロリ」》 ミクストメディア 「わくわくなおもわく」2019 年はじまりの美術館展示風景　撮影：森田友希
・NPO 法人スウィング《京都人力交通案内「アナタの行き先、教えます。」》(2018 年) 撮影：成田舞
・橋本克己《未確認迷惑物体 - 愛と闘いの日々(橋本克己絵日記シリーズ)》(1979-2000 年) 紙、ペン
・橋本克己《街への贈り物(橋本克己絵日記シリーズ)》(2019 年) 紙、ペン
以上 2 作品「わくわくなおもわく」2019 年 はじまりの美術館展示風景より 撮影：森田友希
・酒井美穂子《サッポロ一番しょうゆ味》(1997 年〜)「無意味、のようなもの」2018 年 はじまりの美術館展示風景より 撮影：はじまりの美術館

第8章　読みかえすことのない日記
・チョン・ヨンドゥ《マジシャンの散歩》2014年 ビデオ 55分15秒 © Yeondoo Jung

第9章　みんなどこへ行った？
すべて風間サチコ作
・《ディスリンピック 2680》(2018年) 242.4×640.5cm 木版画（素材：和紙、油性インク）
・《ダイナマイトは創造の父》(2002年) 142×196.5cm
ダイナマイトは創造の父（発破）各 42×59.2cm（5点）　ダイナマイトは想像の父（トンネル）（団地）（ダム）各 42.2×59.4cm
・《国粋的アイドル（ガスタンク）》(1999年) 42×59.5cm 木版画（素材：和紙、墨汁、パネル）
・《ゲートピア No.3》(2019年) 各 60.5×91.5cm 木版画（素材：和紙、油性インク、額）版木

以上とカバー裏面、すべて写真提供：黒部市美術館 写真撮影：柳原良平
©Sachiko Kazama

・218 ページ掲載「地上の星」作詞 中島みゆき 作曲 中島みゆき
© 2000 by Yamaha Music Entertainment Holdings, Inc. & NHK Publishing,Inc.
All Rights Reserved. International Copyright Secured.
（株）ヤマハミュージックエンタテインメントホールディングス 出版許諾番号 20211339P

第11章　ただ夢を見るために
・マリーナ・アブラモヴィッチ《夢の家》(2000年) 撮影：川内有緒

第12章　白い鳥がいる湖
・塩谷良太《物腰（2015）》(2015年) 163×167×211cm 陶
「6つの個展 2020」2020年 茨城県近代美術館展示風景 撮影：市川勝弘

・「オー・シャンゼリゼ」訳詞　安井かずみ　WATERLOO ROAD Words & Music by MICHAEL WILSHAW and MICHAEL A. DEIGHAN　©1969 INTERSONG MUSIC LTD. All Rights Reserved.
Print rights for Japan administered by Yamaha Music Entertainment Holdings, Inc.
JASRAC 出 2106549-101

エピローグ
・しらとりけんじ《二》(2021年)
・《けんじの部屋》「（た）よりあい、（た）よりあう。」2021年 はじまりの美術館展風景
撮影：川内有緒

初出：本書は、集英社クオータリー kotoba38～41号の連載「見えないアート案内」、ハフポスト日本版「全盲で美術館を楽しむ白鳥さん。『見えないから大変』の言葉がしっくりこない」(2019年09月16日)／全盲の白鳥さんと一緒に美術館賞をしてみたら、たくさんの会話が生まれました」(2019年09月23日)、ドラぷら 未知の細道「わくわく！で世の中を照らす『美術館らしくない美術館』」(2019年9月25日) に大幅に加筆・修正したものです。

川内有緒（かわうちありお）

ノンフィクション作家。1972年東京都生まれ。映画監督を目指して日本大学芸術学部へ進学したものの、あっさりとその道を断念。大学卒業後、行き当たりばったりに渡米。中南米のカルチャーに魅せられ、米国ジョージタウン大学で中南米地域研究学修士号を取得。米国企業、日本のシンクタンク、仏のユネスコ本部などに勤務し、国際協力分野で12年間働く。2010年以降は東京を拠点に評伝、旅行記、エッセイなどの執筆を行う。『バウルを探して　地球の片隅に伝わる秘密の歌』（幻冬舎）で新田次郎文学賞を、『空をゆく巨人』（集英社）で開高健ノンフィクション賞を受賞。著書に『パリでメシを食う。』『パリの国連で夢を食う。』（共に幻冬舎文庫）、『晴れたら空に骨まいて』（講談社文庫）、『バウルを探して〈完全版〉』（三輪舎）など。白鳥建二さんを追ったドキュメンタリー映画『白い鳥』の共同監督。現在は子育てをしながら、執筆や旅を続け、小さなギャラリー「山小屋」（東京・恵比寿）を家族で運営。趣味は美術鑑賞とD.I.Y.。「生まれ変わったら冒険家になりたい」が口癖。

note.com/ariokawauchi
Twitter: @ArioKawauchi

目《め》の見《み》えない白鳥《しらとり》さんとアートを見《み》にいく

2021年9月8日　第1刷発行
2022年11月15日　第9刷発行

著　者　川内有緒《かわうちありお》
発行者　岩瀬朗
発行所　株式会社　集英社インターナショナル
〒101-0064　東京都千代田区神田猿楽町1-5-18
電話：03-5211-2632
発売所　株式会社　集英社
〒101-8050　東京都千代田区一ツ橋2-5-10
電話：読者係 03-3230-6080
販売部：03-3230-6393（書店専用）
装　丁　佐藤亜沙美（サトウサンカイ）
装　画　朝野ペコ
印刷所　大日本印刷株式会社
製本所　ナショナル製本協同組合

© 2021 Kawauchi Ario　Printed in Japan
ISBN978-4-7976-7399-9 C0095

定価はカバーに表示してあります。

造本には十分に注意しておりますが、乱丁・落丁（本のページ順序のまちがいや抜け落ち）の場合はお取り替えいたします。購入された書店名を明記して集英社読者係宛にお送り下さい。送料は小社負担でお取り替えいたします。ただし、古書店で購入したものについてはお取り替えできません。

本書の内容の一部または全部を無断で複写・複製することは法律で認められた場合を除き、著作権の侵害となります。また、業者など、読者本人以外による本書のデジタル化は、いかなる場合でも一切認められませんのでご注意ください。

なお、本テキストデータにつきましても弊社が著作権を保有しますので、上掲の通りお取り扱いにはご注意ください。

本書のテキストデータを提供いたします

視覚障害などの理由で本書をお読みになれない方にテキストデータを提供いたします。こちらのQRコードよりお申し込みのうえ、テキストデータをダウンロードしてください。